JN050723

厳選

スペイン語
日常単語

語研編集部 編

　『厳選 スペイン語日常単語』は，日常生活で頻繁に使われるスペイン語を学ぶための単語集です。スペイン語でのコミュニケーションに必要不可欠な 1,000 語を，名詞を中心に厳選して収録しました。はじめてスペイン語に触れる方，スペイン語の語彙を増やしたい初〜中級の方に最適な一冊となっています。

　スペイン語はインド・ヨーロッパ語族イタリック語派に属する言語であり，俗ラテン語から発展して形成されたロマンス諸語のひとつです。スペインのほか，中南米の多くの国々，アフリカの一部の国で公用語とされており，約 5 億人以上の話者がいます。スペイン語の発音は地域によって若干の違いがありますが，本書ではスペイン人のネイティブスピーカーによる音声を収録しています。スペイン語の学習は，日本人学習者にとって新しい挑戦かもしれませんが，効果的・効率的に語彙を増やす工夫が加えられている本書を活用して，楽しみながら学習を進めていくとよいでしょう。

　単語学習は反復と継続が重要です。1 日 1 ページずつでも構いませんので，少しずつ，何度も繰り返すことを心がけてください。新しい単語を覚えたら，積極的に使ってみるよう意識しましょう。

　語学学習は学びたいと感じた時がチャンスです。この単語集が，みなさんの新たな世界を広げ，異文化理解を深めるのに役立つことを願っています。

1. 左ページに日本語，右ページにスペイン語を記載。

日本語，スペイン語のどちらからでも覚えられるように，見開きの構成となっています。自分にあった方法で単語学習を進めてみてください。

2. 日本語の横には英語を提示。

ヨーロッパの言語は同じ語源から派生した単語も多いため，英語の助けを借りることで，単語学習がスムーズに進みます。

3. スペイン語にはカタカナで発音を記載。

単語学習のはじめの段階に，読み方の確認の足がかりとしてお役立てください。

4. 付属の音声で正確なスペイン語の発音をチェック。

スペイン語には日本語にない音があるので，カタカナだけでは正確に発音を表すことができません。学習効果を高めるために，付属音声を活用して，ネイティブスピーカーの発音を耳から確認する習慣をつけましょう。

5. 達成度・進捗度をページごとに確認。

各見開きの右上には，覚えた単語数を書き込むスペースを 3 回分用意しました。また，進捗度をパーセンテージで把握できるようになっています。

本書の付属音声は無料でダウンロードすることができます。
下記の URL または QR コードより本書紹介ページの【無料音
声ダウンロード】にアクセスしてご利用ください。

https://www.goken-net.co.jp/catalog/card.html?isbn=
978-4-87615-429-6

各見開きの左上に記載された QR コードを読み取ると，その
見開き分の音声（10 単語分）をまとめて聴くことができます。

注意

◆ ダウンロードで提供する音声は，複数のファイルを ZIP 形式で 1 ファ
イルにまとめています。ダウンロード後に復元（解凍）してご利用く
ださい。ZIP 形式に対応した復元アプリを必要とする場合があります。

◆ 音声ファイルは MP3 形式です。モバイル端末，パソコンともに，MP3
ファイルを再生可能なアプリ，ソフトを利用して聞くことができます。

◆ インターネット環境によってダウンロードできない場合や，ご使用の
機器によって再生できない場合があります。

◆ 本書の音声ファイルは，一般家庭での私的使用の範囲内で使用する目
的で頒布するものです。それ以外の目的で複製，改変，放送，送信な
どを行いたい場合には，著作権法の定めにより著作権者等に申し出て
事前に許諾を受ける必要があります。

0001 ☐	今日	today

0002 ☐	明日	tomorrow

◆「朝」『女』という意味でも使う。

0003 ☐	明後日	day after tomorrow

0004 ☐	昨日	yesterday

0005 ☐	一昨日	day before yesterday

0006 ☐	日	day

0007 ☐	週	week

0008 ☐	月	month

◆月と曜日の表現は p.206 ～ 207 を参照。

0009 ☐	年	year

◆「～歳《年齢》」は数字＋años アニョス。

0010 ☐	世紀	century

副	**hoy**
	オイ

副	**mañana**
	マニャナ

副	**pasado mañana**
	パサド マニャナ

副	**ayer**
	アイエル

副	**anteayer**
	アンテアイエル

男	**día**
	ディア

女	**semana**
	セマナ

男	**mes**
	メス

男	**año**
	アニョ

男	**siglo**
	シグロ

0011 ☐	時間, 時刻	time

◆「天気」という意味でも使う。

0012 ☐	～秒	second

◆形容詞（数詞）として「第2の, 2番目の」という意味でも使う。

0013 ☐	～分	minute

0014 ☐	～時	hour

◆「時刻, 時間」という意味でも使う。

0015 ☐	AM, 午前	AM

0016 ☐	PM, 午後	PM

0017 ☐	今	now

0018 ☐	朝	morning

◆「明日」［副］という意味でも使う。

0019 ☐	正午	noon

0020 ☐	昼間, 日中	afternoon

	年 月 日		年 月 日		年 月 日	
1	/10	2	/10	3	/10	2 %

男	**tiempo**
	ティエンポ

男	**segundo**
	セグンド

男	**minuto**
	ミヌト

女	**hora**
	オラ

	de la mañana
	デ ラ マニャナ

	de la tarde
	デ ラ タルデ

副	**ahora**
	アオラ

女	**mañana**
	マニャナ

男	**mediodía**
	メディオディア

男	**(durante el) día**
	(ドゥランテ エル) ディア

0021 ☐	夕方	evening

0022 ☐	夜	night

◆「夕方」という意味でも使う。

0023 ☐	真夜中	midnight

0024 ☐	カレンダー	calendar

0025 ☐	日付	date

0026 ☐	平日	weekday

0027 ☐	休日，祝日	holiday

0028 ☐	新年	new year

0029 ☐	クリスマス	Christmas

◆「メリークリスマス！」は ¡Feliz Navidad! フェリス ナビダ。

0030 ☐	誕生日	birthday

◆ 単複同形。「生年月日」は fecha de nacimiento 〚女〛フェチャ デ ナスィミエント。

	年 月 日		年 月 日		年 月 日	
1	/**10**	**2**	/**10**	**3**	/**10**	**3%**

女	tarde
	タルデ

女	noche
	ノチェ

女	medianoche
	メディアノチェ

男	calendario
	カレンダリオ

女	fecha
	フェチャ

男	día laborable
	ディア ラボラブレ

男	día festivo
	ディア フェスティボ

男	Año Nuevo
	アニョ ヌエボ

女	Navidad
	ナビダ

男	cumpleaños
	クンプレアニョス

0031 ☐	季節	season

◆「駅」という意味でも使う。

0032 ☐	春	spring

0033 ☐	夏	summer

0034 ☐	秋	autumn

0035 ☐	冬	winter

0036 ☐	いつも	always

0037 ☐	時々	sometimes

0038 ☐	最近	recently

0039 ☐	未来	future

◆「将来」という意味でも使う。

0040 ☐	過去	past

女	**estación**
	エスタスィオン

女	**primavera**
	プリマベラ

男	**verano**
	ベラノ

男	**otoño**
	オトニョ

男	**invierno**
	インビエルノ

副	**siempre**
	シエンプレ

	a veces
	ア ベセス

副	**recientemente**
	レスィエンテメンテ

男	**futuro**
	フトゥロ

男	**pasado**
	パサド

0041 ☐	東	east
0042 ☐	西	west
0043 ☐	南	south
0044 ☐	北	north
0045 ☐	上 (に, で)	up
0046 ☐	下 (に, で)	down
0047 ☐	左	left
0048 ☐	右	right
0049 ☐	近い, 近くに (で)	near
0050 ☐	遠い, 遠くに (で)	far

男	**este**
	エステ

男	**oeste**
	オエステ

男	**sur**
	スル

男	**norte**
	ノルテ

副	**arriba**
	アリバ

副	**abajo**
	アバホ

女	**izquierda**
	イスキエルダ

女	**derecha**
	デレチャ

副	**cerca**
	セルカ

副	**lejos**
	レホス

0051 ☐	気候	climate

0052 ☐	気温，温度	temperature

◆「体温」は temperatura corporal〘女〙テンペラトゥラ コルポラル。

0053 ☐	天気	weather

◆「時間，時代」という意味でも使う。

0054 ☐	天気予報	weather forecast

0055 ☐	暑い	hot

◆「暖かい，温かい，熱い」などの意味でも使う。

0056 ☐	寒い	cold

0057 ☐	晴れ	sunny

0058 ☐	くもり	cloudy

◆「雲」は nube〘女〙ヌベ。

0059 ☐	雨	rain

0060 ☐	風	wind

男	**clima**
	クリマ

女	**temperatura**
	テンペラトゥラ

男	**tiempo**
	ティエンポ

男	**parte meteorológico**
	パルテ メテオロロヒコ

形	**caliente**
	カリエンテ

形	**frío**
	フリオ

形	**soleado**
	ソレアド

形	**nublado**
	ヌブラド

女	**lluvia**
	ジュビア

男	**viento**
	ビエント

| 0061 ☐ | 雪 | snow |

| 0062 ☐ | 霧 | fog |

| 0063 ☐ | 雷 | thunder |

| 0064 ☐ | 虹 | rainbow |

◆ 単複同形。

| 0065 ☐ | 空 | sky |

| 0066 ☐ | 太陽 | sun |

◆ とくに天体を表すときは頭文字が大文字となる。

| 0067 ☐ | 月 | moon |

| 0068 ☐ | 星 | star |

| 0069 ☐ | 宇宙 | universe |

◆「宇宙」という意味で用いるときはしばしば頭文字が大文字になる。

| 0070 ☐ | ロケット | rocket |

◆「ミサイル」は misil (mísil)『男』ミシル。

女	**nieve**
	ニエベ

女	**niebla**
	ニエブラ

男	**trueno**
	トゥルエノ

男	**arcoíris**
	アルコイリス

男	**cielo**
	スィエロ

男	**sol**
	ソル

女	**luna**
	ルナ

女	**estrella**
	エストレジャ

男	**universo**
	ウニベルソ

男	**cohete**
	コエテ

19

0071 ☐	空気，大気	air
0072 ☐	地球	Earth
0073 ☐	自然	nature
0074 ☐	風景	landscape
0075 ☐	山	mountain
0076 ☐	川	river

◆「小川」は arroyo〖男〗アロヨ。

0077 ☐	海	sea
0078 ☐	砂浜，浜辺	beach
0079 ☐	湖	lake
0080 ☐	池	pond

男	**aire**
	アイレ

女	**Tierra**
	ティエラ

女	**naturaleza**
	ナトゥラレサ

男	**paisaje**
	パイサへ

女	**montaña**
	モンタニャ

男	**río**
	リオ

男	**mar**
	マル

女	**playa**
	プラヤ

男	**lago**
	ラゴ

男	**estanque**
	エスタンケ

0081 ☐	森林	forest

0082 ☐	野原	field

◆「田舎」という意味でも使う。

0083 ☐	草	grass

0084 ☐	草原，牧草地	meadow

◆「(大規模な) 牧場」は pradera 〖女〗 プラデラ。

0085 ☐	丘	hill

0086 ☐	谷	valley

0087 ☐	石	stone

◆「岩」は roca 〖女〗 ロカ。

0088 ☐	砂	sand

0089 ☐	砂漠	desert

0090 ☐	火山	volcano

男	**bosque**
	ボスケ

男	**campo**
	カンポ

女	**hierba**
	イエルバ

男	**prado**
	プラド

女	**colina**
	コリナ

男	**valle**
	バジェ

女	**piedra**
	ピエドラ

女	**arena**
	アレナ

男	**desierto**
	デシエルト

男	**volcán**
	ボルカン

0091 ☐	島	island

0092 ☐	半島	peninsula

0093 ☐	大陸	continent

0094 ☐	海峡	strait

0095 ☐	植物	plant

◆「足の裏」という意味でも使う。

0096 ☐	木	tree

◆「木材」は madera 〖女〗マデラ。

0097 ☐	枝	branch

0098 ☐	葉	leaf

0099 ☐	花	flower

0100 ☐	種〈たね〉	seed

女 isla

イスラ

女 península

ペニンスラ

男 continente

コンティネンテ

男 estrecho

エストレチョ

女 planta

プランタ

男 árbol

アルボル

女 rama

ラマ

女 hoja

オハ

女 flor

フロル

女 semilla

セミジャ

| 0101 ☐ | 動物 | animal |

| 0102 ☐ | 動物園 | zoo |

| 0103 ☐ | 水族館 | aquarium |

| 0104 ☐ | イヌ （オス／メス） | dog |

◆「子犬」は cachorro／cachorra 〖男／女〗カチョッロ／カチョッラ。

| 0105 ☐ | ネコ （オス／メス） | cat |

◆「子猫」は gatito／gatita 〖男／女〗ガティト／ガティタ。

| 0106 ☐ | ウマ （オス／メス） | horse |

| 0107 ☐ | ウシ （オス／メス） | cow |

◆「闘牛」は corrida (de toros) 〖女〗コリダ（デ トロス）。

| 0108 ☐ | ブタ （オス／メス） | pig |

◆「子豚」は cochinillo 〖男〗コチニジョ。

| 0109 ☐ | ヒツジ （オス／メス） | sheep |

| 0110 ☐ | ヤギ | goat |

男	**animal**
	アニマル

男	**zoológico**
	ソオロヒコ

男	**acuario**
	アクアリオ

男/女	**perro / perra**
	ペロ / ペラ

男/女	**gato / gata**
	ガト / ガタ

男/女	**caballo / yegua**
	カバジョ / イエグア

男/女	**toro / vaca**
	トロ / バカ

男/女	**cerdo / cerda**
	セルド / セルダ

男/女	**carnero / oveja**
	カルネロ / オベハ

女	**cabra**
	カブラ

| 0111 ☐ | クマ （オス／メス） | bear |

| 0112 ☐ | ゾウ （オス／メス） | elephant |

| 0113 ☐ | ライオン （オス／メス） | lion |

| 0114 ☐ | トラ （オス／メス） | tiger |

| 0115 ☐ | （フタコブ）ラクダ （オス／メス） | camel |

◆「ヒトコブラクダ（アラビアラクダ）」は dromedario〖男〗ドロメダリオ。

| 0116 ☐ | キツネ （オス／メス） | fox |

| 0117 ☐ | オオカミ （オス／メス） | wolf |

| 0118 ☐ | サル （オス／メス） | monkey |

| 0119 ☐ | ウサギ （オス／メス） | rabbit |

| 0120 ☐ | ネズミ （オス／メス） | mouse |

◆ PC の「マウス」という意味でも使う。「モルモット」は cobaya〖男（女）〗コバヤ。

男/女 oso / osa

オソ / オサ

男/女 elefante / elefanta

エレファンテ / エレファンタ

男/女 león / leona

レオン / レオナ

男/女 tigre / tigresa

ティグレ / ティグレサ

男/女 camello / camella

カメジョ / カメジャ

男/女 zorro / zorra

ソロ / ソラ

男/女 lobo / loba

ロボ / ロバ

男/女 mono / mona

モノ / モナ

男/女 conejo / coneja

コネホ / コネハ

男/女 ratón / ratona

ラトン / ラトナ

0121 ☐	鳥	bird
0122 ☐	ニワトリ（オンドリ／メンドリ）	rooster／hen
0123 ☐	ハト	pigeon
0124 ☐	カラス	crow
0125 ☐	カエル	frog
0126 ☐	ヘビ	snake
0127 ☐	昆虫	insect
0128 ☐	蝶	butterfly
0129 ☐	蚊	mosquito
0130 ☐	ハエ	fly

男	pájaro
	パハロ

男/女	gallo / gallina
	ガジョ / ガジナ

女	paloma
	パロマ

男	cuervo
	クエルボ

女	rana
	ラナ

女	serpiente
	セルピエンテ

男	insecto
	インセクト

女	mariposa
	マリポサ

男	mosquito
	モスキト

女	mosca
	モスカ

0131 ☐	家族	family

0132 ☐	親戚	relative [relatives]

0133 ☐	夫婦	married couple

◆「結婚」という意味でも使う。

0134 ☐	兄・弟／姉・妹	brother／sister

◆複数形で「兄弟／姉妹」。

0135 ☐	父	father

◆「両親」は padres〔男複〕パドレス。

0136 ☐	母	mother

0137 ☐	夫	husband

0138 ☐	妻	wife

0139 ☐	息子	son

0140 ☐	娘	daughter

	年 月 日		年 月 日		年 月 日	
1	／10	2	／10	3	／10	14 %

女	**familia**
	ファミリア

男女	**pariente**
	パリエンテ

男	**matrimonio**
	マトリモニオ

男/女	**hermano ／ hermana**
	エルマノ ／ エルマナ

男	**padre**
	パドレ

女	**madre**
	マドレ

男	**esposo**
	エスポソ

女	**esposa**
	エスポサ

男	**hijo**
	イホ

女	**hija**
	イハ

| 0141 ☐ | 祖父 | grandfather |

◆「祖父母」は abuelos〘男複〙アブエロス。

| 0142 ☐ | 祖母 | grandmother |

| 0143 ☐ | 孫 〘男／女〙 | grandson／granddaughter |

| 0144 ☐ | おじ | uncle |

| 0145 ☐ | おば | aunt |

| 0146 ☐ | おい | nephew |

| 0147 ☐ | めい | niece |

| 0148 ☐ | いとこ 〘男／女〙 | cousin |

| 0149 ☐ | 乳幼児 | baby |

◆生後 0 か月～ 2 歳くらいまで。

| 0150 ☐ | 赤ちゃん，乳児 | infant |

◆授乳期～離乳期まで。

男	**abuelo**
	アブエロ

女	**abuela**
	アブエラ

男/女	**nieto / nieta**
	ニエト / ニエタ

男	**tío**
	ティオ

女	**tía**
	ティア

男	**sobrino**
	ソブリノ

女	**sobrina**
	ソブリナ

男/女	**primo / prima**
	プリモ / プリマ

男	**bebé**
	ベベ

男女	**lactante**
	ラクタンテ

0151 ☐	少年，男の子	boy

0152 ☐	少女，女の子	girl

0153 ☐	大人，成人	adult

◆成人女性を示す場合は adulta〖女〗アドゥルタ。

0154 ☐	高齢者	elderly (people)

◆女性のみの高齢者の集団を示す場合は ancianas〖女複〗アンスィアナス。

0155 ☐	男／女	man／woman

0156 ☐	人間	human

0157 ☐	性格	character

0158 ☐	印象，感銘	impression

0159 ☐	振る舞い	behavior

0160 ☐	態度	attitude

	年 月 日		年 月 日		年 月 日	
1	/10	**2**	/10	**3**	/10	**16 %**

男 niño

ニニョ

女 niña

ニニャ

男 adulto

アドゥルト

男複 ancianos

アンスィアノス

男/女 hombre / mujer

オンブレ / ムヘル

男 humano

ウマノ

男 carácter

カラクテル

女 impresión

インプレシオン

男 comportamiento

コンポルタミエント

女 actitud

アクティトゥド

0161 ☐	気持ち	feeling

◆「感情」は emoción〖女〗エモスィオン。「感覚」は sensación〖女〗センサスィオン。

0162 ☐	意志	will

0163 ☐	喜び	joy

◆「楽しみ」は diversión〖女〗ディベルシオン。

0164 ☐	怒り	anger

0165 ☐	悲しみ	sadness

0166 ☐	驚き	surprise

0167 ☐	不安	anxiety

◆「心配, 懸念」は preocupación〖女〗プレオクパスィオン。

0168 ☐	恐怖	fear

0169 ☐	好感, 魅力	sympathy

0170 ☐	後悔	regret

	年 月 日		年 月 日		年 月 日	
1	／**10**	**2**	／**10**	**3**	／**10**	**17 %**

男	**sentimiento**
	センティミエント

女	**voluntad**
	ボルンタ

女	**alegría**
	アレグリア

男	**enojo**
	エノホ

女	**tristeza**
	トリステサ

女	**sorpresa**
	ソルプレサ

女	**ansiedad**
	アンシエダ

男	**miedo**
	ミエド

女	**simpatía**
	シンパティア

男	**arrepentimiento**
	アレペンティミエント

018

0171 ☐	挨拶	greeting

0172 ☐	習慣	habit

◆「癖」という意味でも使う。

0173 ☐	会話	conversation

◆「対話」は diálogo〖男〗ディアロゴ。

0174 ☐	約束	promise

0175 ☐	準備	preparation

0176 ☐	依頼	request

◆「申請」という意味でも使う。

0177 ☐	援助	help

0178 ☐	助言	advice

0179 ☐	協力	cooperation

0180 ☐	感謝	gratitude

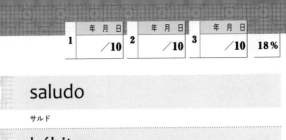

		年 月 日		年 月 日		年 月 日	
	1	/**10**	**2**	/**10**	**3**	/**10**	**18%**

男 saludo

サルド

男 hábito

アビト

女 conversación

コンベルサスィオン

女 promesa

プロメサ

女 preparación

プレパラスィオン

女 solicitud

ソリスィトゥ

女 ayuda

アユダ

男 consejo

コンセホ

女 cooperación

コオペラスィオン

女 gratitud

グラティトゥ

41

| 0181 ☐ | 入学 | admission |

◆「（入学の）許可」という意味でも使う。

| 0182 ☐ | 友人　〖男／女〗 | friend |

| 0183 ☐ | 恋人（彼氏／彼女） | boyfriend／girlfriend |

◆「新郎／新婦」という意味でも使う。

| 0184 ☐ | カップル | couple |

◆「ペア」という意味でも使う。

| 0185 ☐ | 愛 | love |

◆「愛情」は cariño 〖男〗カリニョ。

| 0186 ☐ | 結婚 | marriage |

◆「夫婦」という意味でも使う。「結婚指輪」は alianza 〖女〗アリアンサ。

| 0187 ☐ | 離婚 | divorce |

| 0188 ☐ | 結婚式 | wedding |

| 0189 ☐ | 葬式 | funeral |

| 0190 ☐ | 墓 | grave |

女	**admisión**
	アドミシオン

男/女	**amigo / amiga**
	アミゴ / アミガ

男/女	**novio / novia**
	ノビオ / ノビア

女	**pareja**
	パレハ

男	**amor**
	アモル

男	**matrimonio**
	マトリモニオ

男	**divorcio**
	ディボルスィオ

女	**boda**
	ボダ

男	**funeral**
	フネラル

女	**tumba**
	トゥンバ

0191 ☐	人生，生命，生活	life

0192 ☐	妊娠	pregnancy

◆「出産」は parto〔男〕パルト。

0193 ☐	誕生，出生	birth

0194 ☐	死	death

0195 ☐	体	body

◆「集団」という意味でも使う。

0196 ☐	頭	head

0197 ☐	髪の毛	hair

0198 ☐	顔，面	face

0199 ☐	目	eye

0200 ☐	鼻	nose

◆複数形は narices〔女複〕ナリセス。

女 **vida**

ビダ

男 **embarazo**

エンバラソ

男 **nacimiento**

ナスィミエント

女 **muerte**

ムエルテ

男 **cuerpo**

クエルポ

女 **cabeza**

カベサ

男 **cabello**

カベジョ

女 **cara**

カラ

男 **ojo**

オホ

女 **nariz**

ナリス

0201 ☐	耳	ear

0202 ☐	口	mouth

◆「口ひげ」は bigote〚男〛ビゴテ,「あごひげ」は barba〚女〛バルバ。

0203 ☐	唇	lip [lips]

0204 ☐	歯	tooth [teeth]

◆「前歯」は incisivo〚男〛インスィシボ,「奥歯」は muela〚女〛ムエラ。

0205 ☐	舌	tongue

◆「言語」という意味でも使う。

0206 ☐	のど	throat

0207 ☐	声	voice

0208 ☐	首	neck

◆「襟」という意味でも使う。

0209 ☐	肩	shoulder

0210 ☐	腕	arm

女	oreja
	オレハ

女	boca
	ボカ

男	labio
	ラビオ

男	diente
	ディエンテ

女	lengua
	レングア

女	garganta
	ガルガンタ

女	voz
	ボス

男	cuello
	クエジョ

男	hombro
	オンブロ

男	brazo
	ブラソ

0211 ☐	ひじ	elbow

0212 ☐	指	finger

◆「薬指」は dedo anular 〚男〛デド アヌラル。

0213 ☐	手	hand

◆「手のひら」は palma 〚女〛パルマ。

0214 ☐	爪	nail

0215 ☐	胸	chest

0216 ☐	おなか，腹	belly

0217 ☐	背中	back

◆「腰」は cintura 〚女〛スィントゥラ。

0218 ☐	尻	buttock [buttocks]

0219 ☐	脚	leg

◆ももから下の部位を指す。「もも」は muslo 〚男〛ムスロ。

0220 ☐	ひざ	knee

男	**codo**
	コド

男	**dedo**
	デド

女	**mano**
	マノ

女	**uña**
	ウニャ

男	**pecho**
	ペチョ

男	**vientre**
	ビエントレ

女	**espalda**
	エスパルダ

女/女複	**nalga／nalgas**
	ナルガ ／ ナルガス

女	**pierna**
	ピエルナ

女	**rodilla**
	ロディジャ

0221 ☐	足	foot

◆足首から下の部位を指す。「足首，くるぶし」は tobillo [男] トビジョ。

0222 ☐	脳	brain

0223 ☐	心臓，心	heart

0224 ☐	肺	lung [lungs]

0225 ☐	胃	stomach

0226 ☐	肝臓	liver

0227 ☐	骨	bone

0228 ☐	筋肉	muscle

0229 ☐	皮膚	skin

◆「皮革，レザー」は cuero [男] クエロ。

0230 ☐	血	blood

男	**pie**
	ピエ

男	**cerebro**
	セレブロ

男	**corazón**
	コラソン

男	**pulmón**
	プルモン

男	**estómago**
	エストマゴ

男	**hígado**
	イガド

男	**hueso**
	ウエソ

男	**músculo**
	ムスクロ

女	**piel**
	ピエル

女	**sangre**
	サングレ

0231 ☐	汗	sweat

0232 ☐	涙	tear

0233 ☐	健康	health

◆「お大事に」という意味でも使う。

0234 ☐	病気	disease

0235 ☐	風邪	cold

0236 ☐	インフルエンザ	influenza, flu

0237 ☐	感染, 伝染病	infection

0238 ☐	熱, 発熱	fever

0239 ☐	傷, けが	injury

0240 ☐	アレルギー	allergy

男 **sudor**

スドル

女 **lágrima**

ラグリマ

女 **salud**

サル

女 **enfermedad**

エンフェルメダ

男 **resfriado**

レスフリアド

女 **gripe**

グリペ

女 **infección**

インフェクスィオン

女 **fiebre**

フィエブレ

女 **lesión**

レシオン

女 **alergia**

アレルヒア

0241 ☐	痛み	pain
0242 ☐	頭痛	headache
0243 ☐	めまい	dizziness
0244 ☐	くしゃみ	sneeze
0245 ☐	せき	cough
0246 ☐	腹痛	stomachache

◆「胃痛」は dolor de estómago〚男〛ドロルデエストマゴ，「下痢」は diarrea〚女〛ディアレア。

0247 ☐	空腹	hunger
0248 ☐	のどの渇き	thirst
0249 ☐	ストレス	stress
0250 ☐	緊張	nervousness

◆ nerviosismo〚男〛ネルビオシスモ も用いる。

男 **dolor**

ドロル

男 **dolor de cabeza**

ドロル デ カベサ

男 **mareo**

マレオ

男 **estornudo**

エストルヌド

女 **tos**

トス

男 **dolor abdominal**

ドロル アブドミナル

女 **hambre**

アンブレ

女 **sed**

セッド

男 **estrés**

エストレス

女 **tensión**

テンシオン

0251 ☐	病院	hospital

0252 ☐	救急車	ambulance

0253 ☐	医者　〖男／女〗	doctor

◆「歯医者」は dentista 〖男女〗デンティスタ。

0254 ☐	看護師　〖男／女〗	nurse

0255 ☐	患者	patient

0256 ☐	診察	(medical) examination

◆「検査」は examen médico 〖男〗エクサメン メディコ。

0257 ☐	手術	surgery

◆「操作，作業」という意味でも使う。「外科(手術)」は cirugía 〖女〗スィルヒア。

0258 ☐	注射	injection

0259 ☐	包帯	bandage

0260 ☐	処方せん	prescription

◆「(料理の)レシピ」という意味でも使う。

男	hospital
	オスピタル

女	ambulancia
	アンブランスィア

男/女	médico / médica
	メディコ ／ メディカ

男/女	enfermero / enfermera
	エンフェルメロ ／ エンフェルメラ

男女	paciente
	パスィエンテ

女	consulta médica
	コンスルタ メディカ

女	operación
	オペラスィオン

女	inyección
	イニェクスィオン

女	venda
	ベンダ

女	receta
	レセタ

0261 ☐	薬局	pharmacy

0262 ☐	薬	medicine

◆「医学」という意味でも使う。

0263 ☐	錠剤	tablet

0264 ☐	塗り薬，軟膏	ointment

0265 ☐	化粧品	cosmetic

0266 ☐	口紅	lipstick

◆単複同形。lápiz labial [男] ラピス ラビアルともいう。

0267 ☐	香水	perfume

0268 ☐	タバコ	cigarette

◆紙巻きタバコを指す。「タバコ《植物》」は tabaco [男] タバコ。

0269 ☐	ライター	lighter

◆encendedor [男] エンセンデドル ともいう。

0270 ☐	禁煙	No smoking

◆Prohibido fumar プロイビド フマル ともいう。fumar は「喫煙する」[動]。

女	**farmacia**	ファルマスィア
女	**medicina**	メディスィナ
女	**tableta**	タブレタ
女	**pomada**	ポマダ
男	**cosmético**	コスメティコ
男	**pintalabios**	ピンタラビオス
男	**perfume**	ペルフメ
男	**cigarrillo**	スィガリジョ
男	**mechero**	メチェロ
	No fumar	ノ フマル

0271 □	衣服	clothes

0272 □	襟	collar

◆「首」という意味でも使う。

0273 □	袖	sleeve

0274 □	シャツ，ワイシャツ	shirt

0275 □	ブラウス	blouse

0276 □	Ｔシャツ	t-shirt

0277 □	セーター	sweater

◆ ラテンアメリカでは suéter〖男〗スエテル が一般的に使われる。

0278 □	ズボン	pants

0279 □	スカート	skirt

0280 □	ジャケット	jacket

女	**ropa**
	ロパ

男	**cuello**
	クエジョ

女	**manga**
	マンガ

女	**camisa**
	カミサ

女	**blusa**
	ブルサ

女	**camiseta**
	カミセタ

男	**jersey**
	ヘルセイ

男複	**pantalones**
	パンタロネス

女	**falda**
	ファルダ

女	**chaqueta**
	チャケタ

🔊 *029*

0281 ☐	コート	coat
0282 ☐	スーツ	suit
0283 ☐	ドレス，ワンピース	dress
0284 ☐	下着	underwear
0285 ☐	靴下	sock [socks]
0286 ☐	ストッキング	stocking [stockings]
0287 ☐	靴	shoe [shoes]
0288 ☐	スニーカー	sneaker [sneakers]
0289 ☐	ブーツ	boot [boots]
0290 ☐	（つばのある）帽子	hat

◆「女性用のつばの広い帽子」は pamela〔女〕パメラ，「野球帽」は gorra〔女〕ゴッラ。

男 abrigo

アブリゴ

男 traje

トラヘ

男 vestido

ベスティド

女 ropa interior

ロパ インテリオル

男/男複 calcetín / calcetines

カルセティン / カルセティネス

女/女複 media / medias

メディア / メディアス

男/男複 zapato / zapatos

サパト / サパトス

女/女複 zapatilla / zapatillas

サパティリャ / サパティリャス

女/女複 bota / botas

ボタ / ボタス

男 sombrero

ソンブレロ

0291 ☐	メガネ	glasses

0292 ☐	ネクタイ	tie

0293 ☐	ベルト	belt

0294 ☐	ハンカチ	handkerchief

◆「スカーフ」は bufanda〖女〗ブファンダ。

0295 ☐	腕時計	watch

0296 ☐	財布	wallet

◆「ブリーフケース」という意味でも使う。

0297 ☐	宝石，ジュエリー	jewelry

0298 ☐	ネックレス	necklace

0299 ☐	イヤリング，ピアス	earring [earrings]

0300 ☐	指輪	ring

女複	gafas
	ガファス

女	corbata
	コルバタ

男	cinturón
	スィントゥロン

男	pañuelo
	パニュエロ

男	reloj de pulsera
	レロホ デ プルセラ

女	cartera
	カルテラ

女	joya
	ホジャ

男	collar
	コヤル

男/男複	pendiente / pendientes
	ペンディエンテ / ペンディエンテス

男	anillo
	アニジョ

0301 ☐	手袋	glove [gloves]

0302 ☐	マフラー	scarf

0303 ☐	傘	umbrella

◆ 単複同形。

0304 ☐	バッグ，袋	bag

◆ ハンドバッグや旅行バッグ，買い物袋など，広範囲の意味で使われる。

0305 ☐	ハンドバッグ	handbag

0306 ☐	リュックサック，バックパック	backpack

0307 ☐	スーツケース	suitcase

◆ 「旅行カバン」は maleta de viaje [女] マレタ デ ビアヘ。

0308 ☐	針	needle

◆ 「ミシン」は máquina de coser [女] マキナ デ コセル。

0309 ☐	糸	thread

0310 ☐	布	fabric

◆ 「生地，織物」は tejido [男] テヒド。

男/男複	guante / guantes
	グアンテ / グアンテス

女	bufanda
	ブファンダ

男	paraguas
	パラグアス

女	bolsa
	ボルサ

男	bolso (de mano)
	ボルソ（デ マノ）

女	mochila
	モチラ

女	maleta
	マレタ

女	aguja
	アグハ

男	hilo
	イロ

女	tela
	テラ

0311 ☐	綿，コットン	cotton

0312 ☐	絹，シルク	silk

0313 ☐	毛[糸]，ウール	wool

0314 ☐	色	color

0315 ☐	赤	red

0316 ☐	青	blue

0317 ☐	黄	yellow

0318 ☐	緑	green

0319 ☐	オレンジ色	orange

◆「オレンジ」という意味でも使う。

0320 ☐	茶色	brown

男	**algodón**
	アルゴドン

女	**seda**
	セダ

女	**lana**
	ラナ

男	**color**
	コロル

男	**rojo**
	ロホ

男	**azul**
	アスル

男	**amarillo**
	アマリジョ

男	**verde**
	ベルデ

男	**naranja**
	ナランハ

男	**marrón**
	マロン

033

0321 ☐	灰色	gray

0322 ☐	黒	black

0323 ☐	白	white

0324 ☐	家	house

◆「家庭」は hogar〖男〗オガール。

0325 ☐	鍵	key

0326 ☐	家賃	rent

◆「賃貸」という意味でも使う。

0327 ☐	引っ越し	moving

0328 ☐	住所，宛先	address

◆「方向」という意味でも使う。

0329 ☐	集合住宅，マンション，アパート	apartment

0330 ☐	階，層	floor

男 **gris**

グリス

男 **negro**

ネグロ

男 **blanco**

ブランコ

女 **casa**

カサ

女 **llave**

リャベ

男 **alquiler**

アルキレル

女 **mudanza**

ムダンサ

女 **dirección**

ディレクスィオン

男 **apartamento**

アパルタメント

男 **piso**

ピソ

034

0331 ☐	部屋	room

0332 ☐	玄関	entrance

◆「入口，入場(券)」という意味でも使う。

0333 ☐	門	gate

◆「大きな門，ゲート」は portón 〖男〗ポルトン。

0334 ☐	リビングルーム	living room

◆「ダイニングルーム」は comedor 〖男〗コメドール。

0335 ☐	キッチン	kitchen

◆「料理」という意味でも使う。

0336 ☐	寝室	bedroom

0337 ☐	書斎	study

◆「勉強」という意味でも使う。

0338 ☐	地下室	basement

0339 ☐	バルコニー	balcony

0340 ☐	車庫，ガレージ	garage

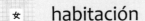

女 habitación

アビタスィオン

女 entrada

エントラダ

女 puerta

プエルタ

女 sala de estar

サラ デ エスタル

女 cocina

コスィナ

男 dormitorio

ドルミトリオ

男 estudio

エストゥディオ

男 sótano

ソタノ

男 balcón

バルコン

男 garaje

ガラヘ

0341
☐ 浴室　　　bath

◆「入浴」という意味でも使う。文脈によっては「トイレ」という意味でも使う。

0342
☐ シャワー　　　shower

0343
☐ トイレ　　　bathroom

◆ トイレの標識「男性用」は Hombres オンブレス,「女性用」は Mujeres ムヘレス。

0344
☐ ドア　　　door

◆「門」という意味でも使う。

0345
☐ 階段　　　stairs

0346
☐ 壁　　　wall

0347
☐ 床　　　floor

◆「地面, 土地」という意味でも使う。

0348
☐ 窓　　　window

0349
☐ 屋根　　　roof

0350
☐ 庭　　　garden

男 **baño**

バニョ

女 **ducha**

ドゥチャ

男 **aseo**

アセオ

女 **puerta**

プエルタ

女複 **escaleras**

エスカレラス

女 **pared**

パレ

男 **suelo**

スエロ

女 **ventana**

ベンタナ

男 **tejado**

テハド

男 **jardín**

ハルディン

0351 □	中庭	courtyard

0352 □	家具	furniture

0353 □	テーブル	table

◆一般に「机」や「食卓」という意味でも使う。

0354 □	机	desk

◆主に書き物机を指す。

0355 □	椅子	chair

0356 □	ソファ	sofa

0357 □	洋服ダンス	wardrobe

0358 □	食器棚	cupboard

0359 □	本棚	bookshelf

◆「(集合的に) 棚」という意味でも使う。個々の「棚, 本棚」は estante 〖男〗エスタンテ。

0360 □	カーテン	curtain

男	**patio**
	パティオ

男複	**muebles**
	ムエブレス

女	**mesa**
	メサ

男	**escritorio**
	エスクリトリオ

女	**silla**
	シジャ

男	**sofá**
	ソファ

男	**armario**
	アルマリオ

女	**alacena**
	アラセナ

女	**estantería**
	エスタンテリア

女	**cortina**
	コルティナ

| 0361 ☐ | じゅうたん | carpet |

| 0362 ☐ | ベッド | bed |

| 0363 ☐ | まくら | pillow |

| 0364 ☐ | 毛布 | blanket |

| 0365 ☐ | 明かり，光 | lighting |

| 0366 ☐ | ランプ | lamp |

◆「電灯，明かり」という意味でも使う。

| 0367 ☐ | ろうそく | candle |

| 0368 ☐ | エアコン | air conditioner |

| 0369 ☐ | 暖房器具，ヒーター | heater |

◆「暖炉，煙突」は chimenea 〖女〗 チメネア。

| 0370 ☐ | 時計 | clock |

◆「置き時計」は reloj de mesa 〖男〗 レロホ デ メサ，「掛け時計」は reloj de pared 〖男〗 レロホ デ パレ。

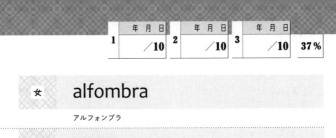

| 女 | **alfombra** |
| | アルフォンブラ |

| 女 | **cama** |
| | カマ |

| 女 | **almohada** |
| | アルモアダ |

| 女 | **manta** |
| | マンタ |

| 女 | **luz** |
| | ルス |

| 女 | **lámpara** |
| | ランパラ |

| 女 | **vela** |
| | ベラ |

| 男 | **aire acondicionado** |
| | アイレ アコンディスィオナド |

| 男 | **calentador** |
| | カレンタドル |

| 男 | **reloj** |
| | レロホ |

0371 ☐	花瓶	vase

0372 ☐	（女の子の）人形	doll

◆「ぬいぐるみ」は peluche〖男〗ペルチェ。

0373 ☐	おもちゃ	toy

0374 ☐	鏡	mirror

0375 ☐	タオル	towel

0376 ☐	石けん	soap

0377 ☐	歯ブラシ	toothbrush

◆「歯磨き粉」は pasta de dientes〖女〗パスタ デ ディエンテス。

0378 ☐	シャンプー	shampoo

◆「コンディショナー」は acondicionador〖男〗アコンディスィオナドル。

0379 ☐	ヘアブラシ	hairbrush

◆「くし」は peine〖女〗ペイネ。

0380 ☐	ドライヤー	hair dryer

男 **florero**

フロレロ

女 **muñeca**

ムニェカ

男 **juguete**

フゲテ

男 **espejo**

エスペホ

女 **toalla**

トアジャ

男 **jabón**

ハボン

男 **cepillo de dientes**

セピジョ デ ディエンテス

男 **champú**

チャンプ

男 **cepillo de pelo**

セピジョ デ ペロ

男 **secador de pelo**

セカドル デ ペロ

0381 ☐	家事	housework
0382 ☐	掃除	cleaning
0383 ☐	掃除機	vacuum cleaner
0384 ☐	ほうき	broom
0385 ☐	洗剤	detergent
0386 ☐	スポンジ	sponge

◆「たわし」は estropajo〖女〗エストロパホ。

0387 ☐	バケツ	bucket
0388 ☐	電気，電力	electricity
0389 ☐	スイッチ	switch
0390 ☐	コンセント	outlet

女複 tareas domésticas

タレアス ドメスティカス

女 limpieza

リンピエサ

女 aspiradora

アスピラドラ

女 escoba

エスコバ

男 detergente

デテルヘンテ

女 esponja

エスポンハ

男 cubo

クボ

女 electricidad

エレクトリスィダ

男 interruptor

インテルプトル

男 enchufe

エンチュフェ

83

0391 ☐	洗濯	laundry

◆「クリーニング店」は lavandería〔女〕ラバンデリア。

0392 ☐	洗濯機	washing machine

0393 ☐	アイロン	iron

0394 ☐	冷蔵庫	refrigerator

◆「冷凍庫」は congelador〔男〕コンゲラドール。

0395 ☐	電子レンジ	microwave

◆単複同形。「オーブン」は horno〔男〕オルノ。

0396 ☐	フライパン	frying pan

0397 ☐	鍋	pot

0398 ☐	やかん，ケトル	kettle

◆「ティーポット」は tetera〔女〕テテラ。

0399 ☐	缶	can

0400 ☐	瓶，ボトル	bottle

男 **lavado**

ラバド

女 **lavadora**

ラバドラ

女 **plancha**

プランチャ

女 **nevera**

ネベラ

男 **microondas**

ミクロオンダス

女 **sartén**

サルテン

女 **olla**

オジャ

男 **hervidor**

エルビドル

女 **lata**

ラタ

女 **botella**

ボテジャ

0401 ☐	ゴミ箱	trash can

◆ 家庭内などの小型のゴミ箱を指す。「ゴミ集積所」は basurero〚男〛バスレロ。

0402 ☐	食器	tableware

0403 ☐	スプーン	spoon

0404 ☐	フォーク	fork

0405 ☐	ナイフ，包丁	knife

0406 ☐	皿	plate

◆ 「小皿」は plato pequeño〚男〛プラト ペケニョ。

0407 ☐	グラス，コップ	glass

0408 ☐	カップ	cup

0409 ☐	ボウル，深皿	bowl

0410 ☐	ナプキン	napkin

女	**papelera**
	パペレラ

女	**vajilla**
	バヒジャ

女	**cuchara**
	クチャラ

男	**tenedor**
	テネドル

男	**cuchillo**
	クチジョ

男	**plato**
	プラト

男	**vaso**
	バソ

女	**taza**
	タサ

男	**cuenco**
	クエンコ

女	**servilleta**
	セルビジェタ

0411 ☐	食事	meal

0412 ☐	朝食	breakfast

0413 ☐	昼食	lunch

0414 ☐	夕食	dinner

0415 ☐	パン	bread

◆「パン屋」は panadería〖女〗パナデリア。

0416 ☐	米	rice

◆「イネ」という意味でも使う。

0417 ☐	小麦粉	flour

◆「小麦」は trigo〖男〗トリゴ。

0418 ☐	卵	egg

0419 ☐	チーズ	cheese

0420 ☐	バター	butter

◆「油」は aceite〖男〗アセイテ,「オリーブオイル」は aceite de oliva〖男〗アセイテデオリバ。

女	**comida**
	コミダ

男	**desayuno**
	デサジュノ

男	**almuerzo**
	アルムエルソ

女	**cena**
	セナ

男	**pan**
	パン

男	**arroz**
	アロス

女	**harina**
	アリナ

男	**huevo**
	ウエボ

男	**queso**
	ケソ

女	**mantequilla**
	マンテキジャ

043

| 0421 ☐ | 肉 《食肉》 | meat |

| 0422 ☐ | 魚，魚類 《食用》 | fish |

◆「観賞用の魚」は pez［男］ペス。

| 0423 ☐ | 貝類 《食用》 | shellfish |

◆「甲殻類」を含む海産物を指す。

| 0424 ☐ | イカ | squid |

◆「タコ」は pulpo［男］プルポ。

| 0425 ☐ | カニ | crab |

| 0426 ☐ | ハム | ham |

| 0427 ☐ | ソーセージ | sausage |

| 0428 ☐ | 豆類 | bean [beans] |

| 0429 ☐ | キノコ | mushroom |

| 0430 ☐ | 野菜 | vegetable |

女	carne
	カルネ

男	pescado
	ペスカド

男複	mariscos
	マリスコス

男	calamar
	カラマル

男	cangrejo
	カングレホ

男	jamón
	ハモン

女	salchicha
	サルチチャ

女/女複	legumbre / legumbres
	レグンブレ / レグンブレス

男	champiñón
	チャンピニョン

女/女複	verdura / verduras
	ベルドゥラ / ベルドゥラス

0431 ☐	トマト	tomato

0432 ☐	じゃがいも	potato

0433 ☐	にんじん	carrot

0434 ☐	タマネギ	onion

◆「ピーマン」は pimiento 〚男〛ピミエント，「パプリカ」は pimentón 〚男〛ピメントン。

0435 ☐	キャベツ	cabbage

0436 ☐	カボチャ	pumpkin

0437 ☐	とうもろこし	corn

0438 ☐	きゅうり	cucumber

◆「ズッキーニ」は calabacín 〚男〛カラバスィン。

0439 ☐	にんにく	garlic

0440 ☐	ビーツ	beets

男	**tomate**
	トマテ

女	**patata**
	パタタ

女	**zanahoria**
	サナオリア

女	**cebolla**
	セボジャ

女	**col**
	コル

女	**calabaza**
	カラバサ

男	**maíz**
	マイス

男	**pepino**
	ペピノ

男	**ajo**
	アホ

女	**remolacha**
	レモラチャ

0441 ☐	果物	fruit [fruits]

◆植物の「実」は fruto 〖男〗 フルト。

0442 ☐	りんご	apple

0443 ☐	ぶどう	grape

◆「ぶどうの木」は vid 〖女〗 ビッ。

0444 ☐	さくらんぼ	cherry

0445 ☐	いちご	strawberry

0446 ☐	もも	peach

◆メキシコ・中南米諸国では一般的に durazno 〖男〗 ドゥラスノ が用いられる。

0447 ☐	レモン	lemon

0448 ☐	オレンジ	orange

◆「オレンジ色」という意味でも使う（その場合〖男〗）。

0449 ☐	バナナ	banana

0450 ☐	ブルーベリー	blueberry

女/女複	fruta / frutas
	フルタ / フルタス

女	manzana
	マンサナ

女	uva
	ウバ

女	cereza
	セレサ

女	fresa
	フレサ

男	melocotón
	メロコトン

男	limón
	リモン

女	naranja
	ナランハ

男	plátano
	プラタノ

男	arándano
	アランダノ

0451 ☐	お菓子, スイーツ	sweet [sweets]

0452 ☐	ケーキ	cake

◆「パイ」という意味でも使う。

0453 ☐	クリーム	cream

0454 ☐	クッキー	cookie

◆「ビスケット」という意味でも使う。

0455 ☐	キャンディ, あめ	candy

0456 ☐	チョコレート	chocolate

◆「チョコラテ, ホットチョコレート」という意味でも使う。

0457 ☐	アイスクリーム	ice cream

0458 ☐	調味料	seasoning

0459 ☐	砂糖	sugar

◆ 単数形では女性名詞として使う場合もある。

0460 ☐	塩	salt

男/男複	**dulce / dulces**
	ドゥルセ ／ ドゥルセス

男	**pastel**
	パステル

女	**crema**
	クレマ

女	**galleta**
	ガジェタ

男	**caramelo**
	カラメロ

男	**chocolate**
	チョコラテ

男	**helado**
	エラド

男	**condimento**
	コンディメント

男(女)	**azúcar**
	アスカル

女	**sal**
	サル

0461 ☐ 酢	vinegar

0462 ☐ コショウ	pepper

◆「唐辛子」は guindilla 〖女〗ギンディージャ。

0463 ☐ 香辛料，スパイス	spice

0464 ☐ からし，マスタード	mustard

0465 ☐ ソース	sauce

0466 ☐ ジャム	jam

0467 ☐ 飲み物	drink

0468 ☐ 水	water

0469 ☐ ミネラルウォーター	mineral water

0470 ☐ ジュース	juice

男	vinagre
	ビナグレ

女	pimienta
	ピミエンタ

女	especia
	エスペスィア

女	mostaza
	モスタサ

女	salsa
	サルサ

女	mermelada
	メルメラダ

女	bebida
	ベビダ

女	agua
	アグア

女	agua mineral
	アグア ミネラル

男	zumo
	スモ

0471 ☐	ビール	beer

◆「アルコール」は alcohol【男】アルコール。

0472 ☐	ワイン	wine

◆「赤ワイン」は vino tinto【男】ビーノ ティント，「白ワイン」は vino blanco【男】ビーノ ブランコ。

0473 ☐	シャンパン	champagne

0474 ☐	サングリア	sangria

◆「リキュール」は licor【男】リコール。

0475 ☐	コーヒー	coffee

◆「ブラックコーヒー，エスプレッソ」は café sólo【男】カフェ ソロ。

0476 ☐	紅茶	tea

◆「ミルクティー」は té con leche【男】テ コン レチェ。

0477 ☐	牛乳	milk

0478 ☐	レストラン	restaurant

0479 ☐	カフェ	café

0480 ☐	メニュー	menu

女	**cerveza**
	セルベサ

男	**vino**
	ビノ

男	**champán**
	チャンパン

女	**sangría**
	サングリア

男	**café**
	カフェ

男	**té**
	テ

女	**leche**
	レチェ

男	**restaurante**
	レスタウランテ

男, 女	**café, cafetería**
	カフェ, カフェテリア

男	**menú**
	メヌ

0481 ☐	料理	cooking

◆「キッチン」という意味でも使う。

0482 ☐	前菜	appetizer

◆前菜の後に primer plato 〖男〗プリメル プラト（「第1の皿」）が提供される。

0483 ☐	スープ	soup

0484 ☐	サラダ	salad

0485 ☐	メインディッシュ	main dish

◆コース料理では segundo plato 〖男〗セグンド プラト（「第2の皿」）ともいう。

0486 ☐	デザート	dessert

0487 ☐	料理人　〖男／女〗	cook

0488 ☐	接客係（ウェイター／ウェイトレス）	server

◆「接客係（店舗, ビジネス）」は dependiente／dependienta 〖男／女〗デペンディエンテ／デペンディエンタ。

0489 ☐	注文	order

0490 ☐	伝票	check

◆「口座，計算（カウント）」という意味でも使う。

	女	cocina
		コスィナ

	男/男複	entremés / entremeses
		エントレメス / エントレメセス

	女	sopa
		ソパ

	女	ensalada
		エンサラダ

	男	plato principal
		プラト プリンスィパル

	男	postre
		ポストレ

	男/女	cocinero / cocinera
		コスィネロ / コスィネラ

	男/女	camarero / camarera
		カマレロ / カマレラ

	男	pedido
		ペディド

	女	cuenta
		クエンタ

0491 ☐	店	shop
0492 ☐	市場	market
0493 ☐	スーパーマーケット	supermarket
0494 ☐	ショッピングモール	mall
0495 ☐	デパート	department store
0496 ☐	売店，キオスク	kiosk
0497 ☐	コンビニ	convenience store
0498 ☐	ドラッグストア	drugstore
0499 ☐	（買い物）客，顧客	customer
0500 ☐	店員，販売員	salesperson

	年 月 日		年 月 日		年 月 日	
1	/**10**	**2**	/**10**	**3**	/**10**	**50%**

女	**tienda**	
	ティエンダ	
男	**mercado**	
	メルカド	
男	**supermercado**	
	スペルマルカド	
男	**centro comercial**	
	セントロ コメルスィアル	
男複	**grandes almacenes**	
	グランデス アルマセネス	
男	**quiosco**	
	キオスコ	
女	**tienda de conveniencia**	
	ティエンダ デ コンベニエンスィア	
女	**droguería**	
	ドロゲリア	
男女	**cliente**	
	クリエンテ	
男	**vendedor**	
	ベンデドル	

0501 ☐	買い物	shopping
0502 ☐	値段，価格	price
0503 ☐	値引き，割引	discount
0504 ☐	セール	sale
0505 ☐	現金	cash
0506 ☐	クレジットカード	credit card
0507 ☐	おつり	change
0508 ☐	チップ	tip
0509 ☐	領収書，レシート	receipt
0510 ☐	レジ	register

◆「箱」という意味でも使う。

女複	**compras**
	コンプラス

男	**precio**
	プレスィオ

男	**descuento**
	デスクエント

女複	**rebajas**
	レバハス

男	**efectivo**
	エフェクティボ

女	**tarjeta de crédito**
	タルヘタ デ クレディト

女	**vuelta**
	ブエルタ

女	**propina**
	プロピナ

男	**recibo**
	レスィボ

女	**caja**
	カハ

0511 ☐	お金	money

0512 ☐	紙幣	bill

◆「切符，チケット」という意味でも使う。

0513 ☐	硬貨，貨幣	coin

0514 ☐	（外貨）両替	currency exchange

◆「変化，交換」という意味でも使う。

0515 ☐	銀行	bank

◆「ベンチ」という意味でも使う。

0516 ☐	口座	account

◆「計算，勘定」という意味でも使う。

0517 ☐	郵便局	post office

0518 ☐	ポスト	mailbox

0519 ☐	切手	stamp

0520 ☐	はがき	postcard

男	**dinero**
	ディネロ

男	**billete**
	ビジェテ

女	**moneda**
	モネダ

男	**cambio**
	カンビオ

男	**banco**
	バンコ

女	**cuenta**
	クエンタ

女	**oficina de correos**
	オフィスィナ デ コレオス

男	**buzón**
	ブソン

男	**sello**
	セジョ

女	**postal**
	ポスタル

0521 ☐	手紙	letter

0522 ☐	小包	parcel

0523 ☐	速達	express

0524 ☐	航空便	airmail

◆ Por avión. ポル アビヨン「航空便で（お願いします）」

0525 ☐	差出人	sender

0526 ☐	受取人	recipient

0527 ☐	名前（ファーストネーム）	first name

0528 ☐	姓，名字	last name

◆ スペイン人は 2 つ（父方と母方の姓）持つ場合も多い。

0529 ☐	電話番号	telephone number

0530 ☐	身分証明書	identification

女	**carta**
	カルタ

男	**paquete**
	パケテ

男	**correo urgente**
	コレオ ウルヘンテ

男	**correo aéreo**
	コレオ アエレオ

男女	**remitente**
	レミテンテ

男	**destinatario**
	デスティナタリオ

男	**nombre**
	ノンブレ

男	**apellido**
	アペジド

男	**número de teléfono**
	ヌメロ デ テレフォノ

男	**carné de identidad**
	カルネ デ イデンティダ

0531 ☐	交通	traffic

◆「輸送，運送」は transporte 〖男〗トランスポルテ。

0532 ☐	道	street

0533 ☐	大通り	avenue

0534 ☐	角 〈かど〉	corner

0535 ☐	交差点	intersection

0536 ☐	横断歩道	crosswalk

0537 ☐	信号 (機)	traffic light

0538 ☐	橋	bridge

0539 ☐	停留所	stop

◆「バス停」は parada de autobús 〖女〗パラダ デ アウトブス。

0540 ☐	歩行者	pedestrian

男	**tráfico**
	トラフィコ

女	**calle**
	カジェ

女	**avenida**
	アベニダ

女	**esquina**
	エスキナ

男	**cruce**
	クルセ

男	**paso de peatones**
	パソ デ ペアトネス

男	**semáforo**
	セマフォロ

男	**puente**
	プエンテ

女	**parada**
	パラダ

男	**peatón**
	ペアトン

0541 ☐	自転車	bicycle, bike

◆ bici は口頭で使われる。

0542 ☐	バイク	motorcycle

◆ moto は口頭で使われる。

0543 ☐	車，自動車	car

0544 ☐	トラック	truck

0545 ☐	タクシー	taxi

0546 ☐	バス	bus

0547 ☐	乗客 〘男／女〙	passenger

0548 ☐	運転手 〘男／女〙	driver

0549 ☐	駐車場	parking

0550 ☐	ガソリンスタンド	gas station

女	**bicicleta, bici**
	ビスィクレタ，ビスィ

女	**motocicleta, moto**
	モトスィクレタ，モト

男	**coche**
	コチェ

男	**camión**
	カミオン

男	**taxi**
	タクシ

男	**autobús**
	アウトブス

男/女	**pasajero / pasajera**
	パサヘロ ／ パサヘラ

男/女	**conductor / conductora**
	コンドゥクトル ／ コンドゥクトラ

男	**aparcamiento**
	アパルカミエント

女	**gasolinera**
	ガソリネラ

0551 ☐	高速道路	expressway

0552 ☐	渋滞	traffic jam

0553 ☐	（運転）免許証	(driver's) license

0554 ☐	鉄道	railroad

◆「線路」は (vía) férrea〖女〗ビア フェレア。

0555 ☐	電車，列車	train

0556 ☐	急行列車	express train

0557 ☐	地下鉄	subway

◆「メートル」という意味でも使う。

0558 ☐	路面電車	tram

0559 ☐	駅	station

◆「季節」という意味でも使う。

0560 ☐	ターミナル駅，終着駅	terminal station

女	**autopista**
	アウトピスタ

男	**atasco**
	アタスコ

男	**carné de conducir**
	カルネ デ コンドゥスィル

男	**ferrocarril**
	フェロカリル

男	**tren**
	トレン

男	**tren expreso**
	トレン エクスプレソ

男	**metro**
	メトロ

男	**tranvía**
	トランビア

女	**estación**
	エスタスィオン

女	**estación terminal**
	エスタスィオン テルミナル

0561 ☐	（プラット）ホーム	platform

0562 ☐	～番線	track

0563 ☐	運賃	fare

0564 ☐	切符，チケット	ticket

◆「紙幣」という意味でも使う。「切符売り場」は taquilla 〖女〗タキージャ。

0565 ☐	券売機	ticket machine

0566 ☐	時刻表，時間割	time table

0567 ☐	路線，ルート	route

0568 ☐	乗り換え	transfer

0569 ☐	遅延，遅れ	delay

0570 ☐	船	ship

◆「小船，ボート」は barca 〖女〗バルカ。

男	**andén**
	アンデン

女	**vía número ~**
	ビア ヌメロ

男	**precio del transporte**
	プレスィオ デル トランスポルテ

男	**billete**
	ビジェテ

女	**máquina de billetes**
	マキナ デ ビジェテス

男複	**horarios**
	オラリオス

女	**ruta**
	ルタ

男	**transbordo**
	トランスボルド

男	**retraso**
	レトラソ

男	**barco**
	バルコ

119

0571	港	port
0572	飛行機	plane
0573	パイロット	pilot
0574	客室乗務員	flight attendant
0575	窓側の席	window seat
0576	通路側の席	aisle seat
0577	シートベルト	seat belt
0578	離陸	take off
0579	着陸	landing
0580	出発	departure

◆「出口」という意味でも使う。

男 **puerto**

プエルト

男 **avión**

アビオン

男女 **piloto**

ピロト

男女 **auxiliar de vuelo**

アウシリアル デ ブエロ

男 **asiento de ventana**

アシエント デ ベンタナ

男 **asiento de pasillo**

アシエント デ パシジョ

男 **cinturón de seguridad**

スィントゥロン デ セグリダ

男 **despegue**

デスペゲ

男 **aterrizaje**

アテリサヘ

女 **salida**

サリダ

0581 ☐	到着	arrival

0582 ☐	空港	airport

0583 ☐	搭乗券	boarding pass

◆「搭乗」は embarque〚男〛エンバルケ。

0584 ☐	手荷物	baggage

0585 ☐	預け入れ荷物	checked baggage

0586 ☐	入国審査	passport control

0587 ☐	保安検査	security check

0588 ☐	税関	customs

◆「関税」という意味でも使う。

0589 ☐	検疫	quarantine

0590 ☐	外国	abroad

女 llegada

ジェガダ

男 aeropuerto

アエロプエルト

女 tarjeta de embarque

タルヘタ デ エンバルケ

男 equipaje de mano

エキパヘ デ マノ

男 equipaje para facturar

エキパヘ パラ ファクトゥラル

男 control de pasaportes

コントロル デ パサポルテス

男 control de seguridad

コントロル デ セグリダ

女 aduana

アドゥアナ

女 cuarentena

クアレンテナ

男 país extranjero

パイス エクストランヘロ

0591 ☐	外国人 〖男／女〗	a person from abroad
0592 ☐	パスポート	passport
0593 ☐	ビザ	visa
0594 ☐	大使館	embassy
0595 ☐	旅行	trip
0596 ☐	観光	sightseeing
0597 ☐	観光客	tourist
0598 ☐	（観光）名所	tourist attraction
0599 ☐	体験，経験	experience
0600 ☐	思い出	memory

◆「記憶」という意味でも使われる。

男/女 **extranjero / extranjera**

エクストランヘロ / エクストランヘラ

男 **pasaporte**

パサポルテ

男 **visado**

ビサド

女 **embajada**

エンバハダ

男 **viaje**

ビアヘ

男 **turismo**

トゥリスモ

男女 **turista**

トゥリスタ

男 **lugar de interés**

ルガル デ インテレス

女 **experiencia**

エクスペリエンスィア

女 **memoria**

メモリア

0601 ☐	地図	map

◆市街図のような地図は plano〖男〗プラノ。

0602 ☐	ガイド	guide

◆「ガイドブック」は guía turística〖女〗ギア トゥリスティカ。

0603 ☐	（観光）ツアー	tour

◆「遠足，小旅行」という意味でも使う。

0604 ☐	列，行列	line

◆「しっぽ，尾」という意味でも使う。

0605 ☐	土産	souvenir

◆「思い出」という意味でも使う。

0606 ☐	中心街	downtown

◆「中心, 中央」は centro〖男〗セントロ。

0607 ☐	市役所，市庁舎	city hall

0608 ☐	教会	church

0609 ☐	城	castle

0610 ☐	塔，タワー	tower

男	**mapa**
	マパ

男女	**guía**
	ギア

女	**excursión**
	エクスクルシオン

女	**cola**
	コラ

男	**recuerdo**
	レクエルド

男	**centro de la ciudad**
	セントロ デ ラ スィウダ

男	**ayuntamiento**
	アジュンタミエント

女	**iglesia**
	イグレシア

男	**castillo**
	カスティジョ

女	**torre**
	トレ

0611 ☐	広場	square
0612 ☐	公園	park
0613 ☐	街灯	street light
0614 ☐	噴水	fountain
0615 ☐	ベンチ	bench

◆「銀行」という意味でも使う。

0616 ☐	記念碑，モニュメント	monument
0617 ☐	建物，ビル	building
0618 ☐	ロビー	lobby
0619 ☐	エレベーター	elevator
0620 ☐	エスカレーター	escalator

女	**plaza**
	プラサ

男	**parque**
	パルケ

女	**farola**
	ファロラ

女	**fuente**
	フエンテ

男	**banco**
	バンコ

男	**monumento**
	モヌメント

男	**edificio**
	エディフィスィオ

男	**vestíbulo**
	ベスティブロ

男	**ascensor**
	アスセンソル

女	**escalera mecánica**
	エスカレラ メカニカ

0621 ☐	ホテル	hotel

0622 ☐	フロント	front

0623 ☐	予約	reservation

0624 ☐	キャンセル	cancel

0625 ☐	チェックイン	check in

0626 ☐	シングルルーム	single room

0627 ☐	ツインルーム	twin room

◆「ダブルルーム」は habitación de matrimonio 〖女〗アビタスィオン デ マトリモニオ。

0628 ☐	入口	entrance

◆「玄関, 入場(券)」という意味でも使う。

0629 ☐	出口	exit

◆「出発」という意味でも使う。

0630 ☐	非常口 《掲示》	Emergency Exit

男 **hotel**

オテル

女 **recepción**

レセプスィオン

女 **reserva**

レセルバ

女 **cancelación**

カンセラスィオン

男 **registro**

レヒストロ

女 **habitación individual**

アビタスィオン インディビドゥアル

女 **habitación doble**

アビタスィオン ドブレ

女 **entrada**

エントラダ

女 **salida**

サリダ

女 **salida de emergencia**

サリダ デ エメルヘンスィア

0631 □	スポーツ	sports
0632 □	(スポーツ)選手 〖男／女〗	player
0633 □	チーム	team
0634 □	コーチ，監督 〖男／女〗	coach
0635 □	スタジアム，競技場	stadium
0636 □	選手権，大会	championship
0637 □	試合	match

◆「予選」は eliminatoria 〖女〗エリミナトリア，「決勝」は final 〖男〗フィナル または finalización 〖女〗フィナリサスィオン。

0638 □	勝利，勝ち	victory
0639 □	敗北，負け	defeat
0640 □	金，ゴールド	gold

◆「プラチナ」は platino 〖男〗プラティノ。

男複	**deportes**	デポルテス
男/女	**jugador / jugadora**	フガドル / フガドラ
男	**equipo**	エキポ
男/女	**entrenador / entrenadora**	エントレナドル / エントレナドラ
男	**estadio**	エスタディオ
男	**campeonato**	カンペオナト
男	**partido**	パルティド
女	**victoria**	ビクトリア
女	**derrota**	デロタ
男	**oro**	オロ

0641 ☐	銀，シルバー	silver

0642 ☐	銅，ブロンズ	copper

◆ 前者は金属としての「銅」で，後者は「銅メダル」。

0643 ☐	野球	baseball

0644 ☐	サッカー	soccer

0645 ☐	バレーボール	volleyball

0646 ☐	バスケットボール	basketball

0647 ☐	テニス	tennis

◆ 単複同形。

0648 ☐	卓球	table tennis

0649 ☐	水泳	swimming

0650 ☐	プール	pool

女	**plata**
	プラタ

男	**cobre, bronce**
	コブレ，ブロンセ

男	**béisbol**
	ベイスボル

男	**fútbol**
	フトボル

男	**vóleibol**
	ボレイボル

男	**baloncesto**
	バロンセスト

男	**tenis**
	テニス

男	**tenis de mesa**
	テニス デ メサ

女	**natación**
	ナタスィオン

女	**piscina**
	ピススィナ

0651 ☐	体操	gymnastics

◆「新体操」は gimnasia rítmica〖女〗ヒムナシア リトゥミカ。

0652 ☐	ダンス	dance

◆「フラメンコ」は flamenco〖男〗フラメンコ。

0653 ☐	スキー	ski

0654 ☐	フィギュアスケート	figure skating

◆「スピードスケート」は patinaje de velocidad〖男〗パティナヘ デ ベロスィダ。

0655 ☐	マラソン	marathon

0656 ☐	ウォーキング	walk

◆「ハイキング」という意味でも使う。

0657 ☐	サイクリング	cycling

0658 ☐	散歩，散策	hiking

0659 ☐	登山	mountaineering

◆ 技術的な要素を含む登山活動を指す。「トレッキング」は senderismo〖男〗センデリスモ。

0660 ☐	釣り	fishing

女	**gimnasia**
	ヒムナシア

女	**danza**
	ダンサ

男	**esquí**
	エスキ

男	**patinaje artístico**
	パティナヘ アルティスティコ

男（女）	**maratón**
	マラトン

女	**caminata**
	カミナタ

男	**ciclismo**
	スィクリスモ

男	**paseo**
	パセオ

男	**montañismo**
	モンタニスモ

女	**pesca**
	ペスカ

0661 ☐	趣味	hobby

| 0662 ☐ | 娯楽 | entertainment |

◆「レクリエーション」は recreación 〖女〗 レクレアスィオン。

| 0663 ☐ | 興味 | interest |

◆「利息，利子」という意味でも使われる。

| 0664 ☐ | 余暇 | leisure |

◆「暇〈ひま〉」は tiempo libre 〖男〗 ティエンポ リブレ。

| 0665 ☐ | (長期)休暇，バカンス | vacation |

◆夏のバカンスは7〜9月始めごろまで。

| 0666 ☐ | 祭り | festival |

| 0667 ☐ | パーティー | party |

| 0668 ☐ | お祝い | celebration |

| 0669 ☐ | 招待 | invitation |

| 0670 ☐ | 招待客 〖男／女〗 | guest |

| 女 | **afición** |
| | アフィスィオン |

| 男 | **entretenimiento** |
| | エントレテニミエント |

| 男 | **interés** |
| | インテレス |

| 男 | **ocio** |
| | オスィオ |

| 女複 | **vacaciones** |
| | バカスィオネス |

| 男 | **festival** |
| | フェスティバル |

| 女 | **fiesta** |
| | フィエスタ |

| 女 | **celebración** |
| | セレブラスィオン |

| 女 | **invitación** |
| | インビタスィオン |

| 男/女 | **invitado / invitada** |
| | インビタド / インビタダ |

0671 ☐	カード	card

0672 ☐	プレゼント	present

0673 ☐	花束	bouquet

0674 ☐	バラ	rose

0675 ☐	カーネーション	carnation

◆ スペインの国花。

0676 ☐	チューリップ	tulip

0677 ☐	シャベル	shovel

0678 ☐	釘	nail

0679 ☐	ハンマー	hammer

0680 ☐	のこぎり	saw

◆ 「山脈」という意味でも使う。

女	**tarjeta**
	タルヘタ

男	**regalo**
	レガロ

男	**ramo**
	ラモ

女	**rosa**
	ロサ

男	**clavel**
	クラベル

男	**tulipán**
	トゥリパン

女	**pala**
	パラ

男	**clavo**
	クラボ

男	**martillo**
	マルティジョ

女	**sierra**
	シエラ

0681 ☐	映画	movie

0682 ☐	映画館	movie theater

◆「シネマコンプレックス，シネコン」は multicine 〖男〗ムルティスィネ。

0683 ☐	劇場，演劇	theater

0684 ☐	ミュージカル	musical

0685 ☐	コンサート	concert

0686 ☐	俳優 〖男／女〗	actor

0687 ☐	演技，演奏	performance

◆「行動」という意味でも使う。

0688 ☐	舞台	stage

◆「場面，シーン」は escena 〖女〗エスセナ。

0689 ☐	演出	staging

0690 ☐	クローク	cloakroom

◆「クローク係」〖男女〗という意味でも使う。

女	**película**	ペリクラ
男	**cine**	スィネ
男	**teatro**	テアトロ
男	**musical**	ムシカル
男	**concierto**	コンスィエルト
男/女	**actor / actriz**	アクトル / アクトリス
女	**actuación**	アクトゥアスィオン
男	**escenario**	エスセナリオ
女	**puesta en escena**	プエスタ エン エスセナ
男	**guardarropa**	グアルダロパ

0691 ☐	音楽	music

0692 ☐	音楽家　〖男／女〗	musician

◆「芸術家」は artista〖男女〗アルティスタ。

0693 ☐	歌	song

0694 ☐	歌手	singer

0695 ☐	指揮者	conductor

0696 ☐	オーケストラ	orchestra

0697 ☐	楽器	musical instrument

0698 ☐	ピアノ	piano

0699 ☐	バイオリン	violin

0700 ☐	ギター	guitar

女	**música**
	ムシカ

男/女	**músico / música**
	ムシコ / ムシカ

女	**canción**
	カンスィオン

男女	**cantante**
	カンタンテ

男	**director de orquesta**
	ディレクトル デ オルケスタ

女	**orquesta**
	オルケスタ

男	**instrumento musical**
	インストゥルメント ムシカル

男	**piano**
	ピアノ

男	**violín**
	ビオリン

女	**guitarra**
	ギタラ

0701		
☐	芸術	art

◆ artes（複数形）では女性名詞。

0702		
☐	文化	culture

0703		
☐	博物館，美術館	museum

0704		
☐	展覧会	exhibition

0705		
☐	作品	work

◆「作業」は trabajo〔男〕トラバホ。

0706		
☐	テーマ，主題	theme

0707		
☐	コレクション，収集	collection

0708		
☐	絵画	painting

0709		
☐	画家　〔男／女〕	painter

0710		
☐	彫刻	sculpture

男	arte
	アルテ

女	cultura
	クルトゥラ

男	museo
	ムセオ

女	exposición
	エクスポシスィオン

女	obra
	オブラ

男	tema
	テマ

女	colección
	コレクスィオン

女	pintura
	ピントゥラ

男/女	pintor / pintora
	ピントル / ピントラ

女	escultura
	エスクルトゥラ

| 0711 ☐ | 写真 | photograph |

◆略して foto フォト とも。「カメラ」は cámara 〖女〗 カマラ。

| 0712 ☐ | 建築 | architecture |

◆「建設，工事」は construcción 〖女〗 コンストゥルクスィオン。

| 0713 ☐ | 建築家　〖男／女〗 | architect |

◆「大工」は carpintero／carpintera 〖男／女〗 カルピンテロ／カルピンテラ。

| 0714 ☐ | 本 | book |

◆「読書」は lectura 〖女〗 レクトゥラ，「本屋」は librería 〖女〗 リブレリア または tienda de libros 〖女〗 ティエンダ デ リブロス。

| 0715 ☐ | 作家　〖男／女〗 | writer |

◆「著者」は autor／autora 〖男／女〗 アウトル／アウトラ。

| 0716 ☐ | （長編）小説 | novel |

◆「短編小説」は relato corto 〖男〗 レラト コルト または cuento breve 〖男〗 クエント ブレベ。

| 0717 ☐ | 漫画 | comic |

| 0718 ☐ | 雑誌 | magazine |

| 0719 ☐ | 新聞 | newspaper |

| 0720 ☐ | 記事 | article |

女	**fotografía**
	フォトグラフィア

女	**arquitectura**
	アルキテクトゥラ

男/女	**arquitecto / arquitecta**
	アルキテクト ／ アルキテクタ

男	**libro**
	リブロ

男/女	**escritor / escritora**
	エスクリトル ／ エスクリトラ

女	**novela**
	ノベラ

男	**cómic**
	コミック

女	**revista**
	レビスタ

男	**periódico**
	ペリオディコ

男	**artículo**
	アルティクロ

0721 ☐	記者，ジャーナリスト	journalist
0722 ☐	情報	information
0723 ☐	事実	fact
0724 ☐	秘密，機密	secret
0725 ☐	ニュース，報道	news
0726 ☐	(マス)メディア	(mass) media
0727 ☐	テレビ	television

◆ 略して tele テレ とも。

| 0728 ☐ | ラジオ | radio |
| 0729 ☐ | 番組 | program |

◆「計画」は plan [男] プラン。

| 0730 ☐ | 広告 | advertisement |

男女	**periodista**
	ペリオディスタ

女	**información**
	インフォルマスィオン

男	**hecho**
	エチョ

男	**secreto**
	セクレト

女複	**noticias**
	ノティスィアス

男複	**medios de comunicación**
	メディオス デ コムニカスィオン

女	**televisión**
	テレビシオン

女	**radio**
	ラディオ

男	**programa**
	プログラマ

男	**anuncio**
	アヌンスィオ

| 0731 ☐ | 電話 | phone |

| 0732 ☐ | スマートフォン | smartphone |

◆「タブレット」は tableta 〖女〗タブレタ。

| 0733 ☐ | デスクトップパソコン | desktop (computer) |

| 0734 ☐ | ノートパソコン | laptop (computer) |

| 0735 ☐ | インターネット | internet |

◆男性名詞として使う場合もある。また，無冠詞で使われるのが一般的。

| 0736 ☐ | メール | e-mail |

| 0737 ☐ | ログイン | login |

◆「ログアウト」は cierre de sesión 〖男〗スィエレ デ セシオン。

| 0738 ☐ | パスワード | password |

| 0739 ☐ | 検索 | search |

| 0740 ☐ | データ | data |

男 **teléfono**

テレフォノ

男 **teléfono inteligente**

テレフォノ インテリヘンテ

男 **ordenador (personal)**

オルデナドル（ペルソナル）

男 **ordenador portátil**

オルデナドル ポルタティル

女(男) **internet**

インテルネト

男 **correo electrónico**

コレオ エレクトロニコ

男 **inicio de sesión**

イニスィオ デ セシオン

女 **contraseña**

コントラセニャ

女 **búsqueda**

ブスケダ

男複 **datos**

ダトス

075

0741 ☐	学校	school

0742 ☐	幼稚園	kindergarten

0743 ☐	小学校	elementary school

0744 ☐	中学校	middle school

0745 ☐	高校	high school

◆「研究所」という意味でも使う。

0746 ☐	(総合) 大学	university

0747 ☐	クラス，教室	class

0748 ☐	教育，教養	education

0749 ☐	知識	knowledge

◆「知識」の意味では主に複数形を用いる。

0750 ☐	勉強	study

女	**escuela**
	エスクエラ

男	**jardín de infancia**
	ハルディン デ インファンスィア

女	**escuela primaria**
	エスクエラ プリマリア

女	**escuela secundaria**
	エスクエラ セクンダリア

男	**instituto**
	インスティトゥト

女	**universidad**
	ウニベルシダ

女	**clase**
	クラセ

女	**educación**
	エドゥカスィオン

男	**conocimiento**
	コノスィミエント

男	**estudio**
	エストゥディオ

0751 ☐	学習	learning

0752 ☐	教授 〚男／女〛	professor

0753 ☐	先生 〚男／女〛	teacher

0754 ☐	学生	student

◆ 一般的に高校生以上を指す。「生徒」は alumno／alumna 〚男／女〛アルムノ／アルムナ。

0755 ☐	寮	dormitory

◆ 一般的に学生寮を指す。

0756 ☐	食堂	cafeteria

0757 ☐	図書館	library

0758 ☐	教科書	textbook

0759 ☐	宿題	homework

0760 ☐	レポート	report

男	**aprendizaje**
	アプレンディサヘ

男/女	**catedrático / catedrática**
	カテドラティコ ／ カテドラティカ

男/女	**profesor / profesora**
	プロフェソル ／ プロフェソラ

男女	**estudiante**
	エストゥディアンテ

女	**residencia**
	レシデンスィア

男	**comedor**
	コメドル

女	**biblioteca**
	ビブリオテカ

男	**libro de texto**
	リブロ デ テクスト

男複	**deberes**
	デベレス

女	**redacción**
	レダクスィオン

| 0761 ☐ | （大学の）学部 | faculty |

◆「能力」という意味でも使う。

| 0762 ☐ | 専攻 | major |

◆「（大学の）専門課程」は carrera (universitaria) 〖女〗カレラ（ウニベルシタリア）。

| 0763 ☐ | 授業 | lesson |

| 0764 ☐ | 講義，コース | lecture |

| 0765 ☐ | ゼミ，演習 | seminar |

| 0766 ☐ | 出席 | attendance |

| 0767 ☐ | 欠席，不在 | absence |

| 0768 ☐ | 試験 | exam |

| 0769 ☐ | 成績 《学業》 | grade |

| 0770 ☐ | 奨学金 | scholarship |

女	**facultad**
	ファクルタ

女	**especialidad**
	エスペスィアリダ

女	**lección**
	レクスィオン

男	**curso**
	クルソ

男	**seminario**
	セミナリオ

女	**asistencia**
	アシステンスィア

女	**ausencia**
	アウセンスィア

男	**examen**
	エグサメン

女	**calificación**
	カリフィカスィオン

女	**beca**
	ベカ

0771 ☐	論文	paper

◆「卒業論文」は tesina (de graduación)『女』テシナ (デ グラドゥアスィオン)。

0772 ☐	研究，調査	research

0773 ☐	結果	result

0774 ☐	発見	discover

0775 ☐	説明，解釈	explanation

0776 ☐	質問，疑問	question

0777 ☐	なぜ	why

◆「いつ」は cuándo『疑副』クアンド，「どこ」は dónde『疑副』ドンデ。

0778 ☐	練習（問題）	exercise

◆「運動」という意味でも使う。

0779 ☐	解答，返事，返答	answer

0780 ☐	誤り，間違い	mistake

女	**tesis**
	テシス

女	**investigación**
	インベスティガスィオン

男	**resultado**
	レスルタド

男	**descubrimiento**
	デスクブリミエント

女	**explicación**
	エクスプリカスィオン

女	**pregunta**
	プレグンタ

前+疑	**por qué**
	ポル ケ

男	**ejercicio**
	エヘルスィスィオ

女	**respuesta**
	レスプエスタ

男	**error**
	エロル

079

0781 ☐	化学	chemistry
0782 ☐	物理学	physics
0783 ☐	数学	math
0784 ☐	法学	jurisprudence
0785 ☐	哲学	philosophy
0786 ☐	文学，文献	literature
0787 ☐	歴史	history
0788 ☐	古代	ancient
0789 ☐	中世	medieval
0790 ☐	近代，現代	modern

	年 月 日		年 月 日		年 月 日	
1	／**10**	**2**	／**10**	**3**	／**10**	**79 %**

女 química

キミカ

女 física

フィシカ

女複 matemáticas

マテマティカス

女 jurisprudencia

フリスプルデンスィア

女 filosofía

フィロソフィア

女 literatura

リテラトゥラ

女 historia

イストリア

女 Edad Antigua

エダ アンティグア

女 Edad Media

エダ メディア

女 Edad Moderna

エダ モデルナ

■))

080

0791 ☐	言語，言葉	language

0792 ☐	文字	letter

0793 ☐	スペイン語	Spanish

◆「スペイン人」は español/española〔男／女〕エスパニョル／エスパニョラ。

0794 ☐	日本語	Japanese

0795 ☐	英語	English

◆「通訳」は intérprete〔男女〕インテルプレテ。

0796 ☐	翻訳	translation

◆「翻訳者」は traductor/traductora〔男／女〕トラドゥクトール／トラドゥクトラ。

0797 ☐	辞書	dictionary

0798 ☐	意味	meaning

0799 ☐	単語	word

◆「(公での) 話，発言」は declaración〔女〕デクララスィオン。

0800 ☐	文	sentence

◆「祈り」という意味でも使う。

男 **idioma**
イディオマ

女 **letra**
レトラ

男 **español**
エスパニョル

男 **japonés**
ハポネス

男 **inglés**
イングレス

女 **traducción**
トラドゥクスィオン

男 **diccionario**
ディクスィオナリオ

男 **significado**
シグニフィカド

女 **palabra**
パラブラ

女 **oración**
オラスィオン

0801 ☐	文法	grammar
0802 ☐	発音	pronunciation
0803 ☐	アクセント	accent
0804 ☐	方言	dialect
0805 ☐	例	example
0806 ☐	紙	paper
0807 ☐	メモ（帳）	memo

◆「覚え書き，メモ」は nota【女】ノタ。

0808 ☐	ノート	notebook
0809 ☐	ボールペン	ballpoint pen
0810 ☐	インク	ink

女	**gramática**
	グラマティカ

女	**pronunciación**
	プロヌンスィアスィオン

男	**acento**
	アセント

男	**dialecto**
	ディアレクト

男	**ejemplo**
	エヘンプロ

男	**papel**
	パペル

女	**libreta**
	リブレタ

男	**cuaderno**
	クアデルノ

男	**bolígrafo**
	ボリグラフォ

女	**tinta**
	ティンタ

082

0811 ☐	鉛筆	pencil

◆「シャープペンシル」は portaminas 〖男〗ポルタミナス。

0812 ☐	消しゴム	eraser

◆「ゴム」は goma 〖女〗ゴマ。

0813 ☐	定規，ものさし	ruler

◆「規則」という意味でも使う。

0814 ☐	はさみ	scissor [scissors]

0815 ☐	仕事	job

◆「責任」は responsabilidad 〖女〗レスポンサビリダ。

0816 ☐	職業	profession

0817 ☐	事業，企業	enterprise

0818 ☐	(現場) 労働者 〖男／女〗	laborer

◆「パートタイム」は trabajo a tiempo parcial 〖男〗トラバホ ア ティエンポ パルスィアル。

0819 ☐	会社	company

0820 ☐	会社員 〖男／女〗	office worker

男	lápiz
	ラピス

女	goma (de borrar)
	ゴマ（デ ボラル）

女	regla
	レグラ

女複	tijeras
	ティヘラス

男	trabajo
	トラバホ

女	profesión
	プロフェシオン

女	empresa
	エンプレサ

男/女	trabajador / trabajadora
	トラバハドル ／ トラバハドラ

女	compañía
	コンパニア

男/女	empleado / empleada
	エンプレアド ／ エンプレアダ

0821 ☐	公務員 〖男／女〗	government worker

0822 ☐	上司 〖男／女〗	boss

◆「部下」は subordinado／subordinada〖男／女〗スボルディナド／スボルディナダ。

0823 ☐	同僚	colleague

0824 ☐	秘書 〖男／女〗	secretary

0825 ☐	アシスタント	assistant

0826 ☐	オフィス，事務所	office

0827 ☐	本部	headquarters

◆「本社」という意味でも使う。

0828 ☐	支部，支店	branch

0829 ☐	昇進	promotion

0830 ☐	辞職	resignation

◆「放棄，断念」という意味でも使う。

男/女	**funcionario ／ funcionaria**
	フンスィオナリオ ／ フンスィオナリア

男/女	**jefe ／ jefa**
	ヘフェ ／ ヘファ

男女	**colega**
	コレガ

男/女	**secretario ／ secretaria**
	セクレタリオ ／ セクレタリア

男女	**asistente**
	アシステンテ

女	**oficina**
	オフィスィナ

女	**sede central**
	セデ セントラル

女	**sucursal**
	スクルサル

女	**promoción**
	プロモスィオン

女	**renuncia**
	レヌンスィア

0831 ☐	給料	salary

◆「月給」は salario mensual 〖男〗サラリオ メンスアル。

0832 ☐	ボーナス	bonus

0833 ☐	支払い	payment

0834 ☐	出張	business trip

0835 ☐	会議，ミーティング	meeting

0836 ☐	問題	problem

0837 ☐	理由	reason

◆「理性」という意味でも使う。「原因」は causa 〖女〗カウサ。

0838 ☐	意見	opinion

0839 ☐	批評，批判	criticism

0840 ☐	決定	decision

◆「解決」は solución 〖女〗ソルスィオン。

男 **salario**

サラリオ

女 **paga extra**

パガ エクストラ

男 **pago**

パゴ

男 **viaje de negocios**

ビアヘ デ ネゴスィオス

女 **reunión**

レウニオン

男 **problema**

プロブレマ

女 **razón**

ラソン

女 **opinión**

オピニオン

女 **crítica**

クリティカ

女 **decisión**

デスィシオン

0841 ☐	書類，文書	document
0842 ☐	確認	confirmation
0843 ☐	交渉	negotiation
0844 ☐	合意，協定	agreement
0845 ☐	契約 (書)	contract

0846 ☐ **署名，サイン** — signature

◆「(有名人の) サイン」は autógrafo 〖男〗アウトグラフォ。

0847 ☐ **利益** — profit

0848 ☐ **投資** — investment

0849 ☐ **利子，利息** — interest

◆「興味」という意味でも使う。「パーセント」は porcentaje 〖男〗ポルセンタへ。

0850 ☐ **経済** — economy

	年 月 日		年 月 日		年 月 日	
1	／**10**	**2**	／**10**	**3**	／**10**	**85 %**

男	**documento**
	ドクメント

女	**confirmación**
	コンフィルマスィオン

女	**negociación**
	ネゴスィアスィオン

男	**acuerdo**
	アクエルド

男	**contrato**
	コントラト

女	**firma**
	フィルマ

男	**beneficio**
	ベネフィスィオ

女	**inversión**
	インベルシオン

男	**interés**
	インテレス

女	**economía**
	エコノミア

x

女	importación
	インポルタスィオン

女	exportación
	エクスポルタスィオン

女	transacción
	トランサクスィオン

女	industria
	インドゥストリア

男	carbón
	カルボン

男	petróleo
	ペトロレオ

男	gas natural
	ガス ナトゥラル

男	hierro
	イエロ

男	acero
	アセロ

男	plástico
	プラスティコ

0861 ☐	工場	plant

◆「植物」という意味でも使う。

0862 ☐	製品	product

◆「商品」は mercancía 〔女〕 メルカンスィア。

0863 ☐	サンプル，見本	sample

0864 ☐	質，品質	quality

0865 ☐	量，数量	quantity

0866 ☐	農家，農業従事者	farmer

0867 ☐	漁師，釣り人	fisherman

0868 ☐	エンジニア，技師　〔男／女〕	engineer

0869 ☐	伝統	tradition

◆「習慣，（複数で）風習」は costumbre 〔女〕 コストゥンブレ。

0870 ☐	名人，達人　〔男／女〕	master

女	planta
	プランタ

男	producto
	プロドゥクト

女	muestra
	ムエストラ

女	calidad
	カリダ

女	cantidad
	カンティダ

男	agricultor
	アグリクルトル

男	pescador
	ペスカドル

男/女	ingeniero / ingeniera
	インヘニエロ / インヘニエラ

女	tradición
	トラディスィオン

男/女	maestro / maestra
	マエストロ / マエストラ

0871 ☐	宗教	religion

0872 ☐	キリスト教	Christianity

◆「カトリック（教徒）」は católico／católica〖男／女〗カトリコ／カトリカ。

0873 ☐	イスラム教	Islam

0874 ☐	仏教	Buddhism

◆「ヒンズー教」は hinduismo〖男〗インドゥイスモ。

0875 ☐	聖書	Bible

0876 ☐	聖職者，司祭	priest

0877 ☐	神／女神	God／Goddess

0878 ☐	世界	world

0879 ☐	国，国家	country

0880 ☐	人々	people

女	**religión**	レリヒオン
男	**cristianismo**	クリスティアニスモ
男	**islam**	イスラム
男	**budismo**	ブディスモ
女	**La Biblia**	ラ ビブリア
男	**sacerdote**	サセルドテ
男/女	**Dios / Diosa**	ディオス / ディオサ
男	**mundo**	ムンド
男	**país**	パイス
女	**gente**	ヘンテ

0881 ☐	国民	nation

0882 ☐	国籍	nationality

0883 ☐	住民, 住人	inhabitant

◆「民族」は etnia〚女〛エトニャ。

0884 ☐	人口	population

0885 ☐	首都	capital

0886 ☐	都市, 都会	city

0887 ☐	村	village

◆「農村, 田舎」は campo〚男〛カンポ,「農村地域」は área rural〚女〛アレア ルラル。

0888 ☐	国境	border

0889 ☐	領土	territory

0890 ☐	母国, 祖国	homeland

女	**nación**
	ナスィオン

女	**nacionalidad**
	ナスィオナリダ

男女	**habitante**
	アビタンテ

女	**población**
	ポブラスィオン

男	**capital**
	カピタル

女	**ciudad**
	スィウダ

男	**pueblo**
	プエブロ

女	**frontera**
	フロンテラ

男	**territorio**
	テリトリオ

女	**patria**
	パトリア

0891 ☐	日本	Japan

◆「日本人」は japonés／japonesa〖男／女〗ハポネス／ハポネサ。

0892 ☐	スペイン	Spain

0893 ☐	マドリード	Madrid

0894 ☐	アメリカ／アメリカ合衆国	The U.S.

0895 ☐	ヨーロッパ	Europe

0896 ☐	共和国	republic

◆「立憲君主制」は monarquía constitucional〖女〗モナルキア コンスティトゥシオナル。

0897 ☐	政治，政策	politics

0898 ☐	政府	government

0899 ☐	議会	parliament

◆「(スペインの)国会」は Cortes Generales〖女複〗コルテス ヘネラレス。

0900 ☐	政党，党派	political party

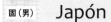

固(男)	**Japón**

ハポン

固(女)	**España**

エスパニャ

固(男)	**Madrid**

マドリ

男複	**Estados Unidos**

エスタドス ウニドス

固(女)	**Europa**

エウロパ

女	**república**

レプブリカ

女	**política**

ポリティカ

男	**gobierno**

ゴビエルノ

男	**parlamento**

パルラメント

男	**partido político**

パルティド ポリティコ

0901 ☐	社会	society

0902 ☐	民主主義	democracy

0903 ☐	社会主義	socialism

0904 ☐	共産主義	communism

0905 ☐	資本主義	capitalism

0906 ☐	憲法	constitution

◆「憲法」の意味では主に頭文字を大文字にする。

0907 ☐	法，法律	law

◆「権利，法律」は derecho〔男〕デレチョ。

0908 ☐	選挙	election

◆ 単数形は「選択」という意味。

0909 ☐	投票	vote

0910 ☐	候補者 〔男／女〕	candidate

女	**sociedad**
	ソスィエダ

女	**democracia**
	デモクラスィア

男	**socialismo**
	ソスィアリスモ

男	**comunismo**
	コムニスモ

男	**capitalismo**
	カピタリスモ

女	**constitución**
	コンスティトゥスィオン

女	**ley**
	レイ

女複	**elecciones**
	エレクスィオネス

女	**votación**
	ボタスィオン

男/女	**candidato / candidata**
	カンディダト / カンディダタ

0911 ☐	大統領，社長	president

0912 ☐	首相，総理大臣	prime minister, premier

0913 ☐	大臣　〖男／女〗	minister

0914 ☐	（下院）議員　〖男／女〗	representative

◆「上院議員」は senador／senadora〖男／女〗セナドル／セナドラ。

0915 ☐	権力	authority

◆「当局」という意味でも使う。「政権」は gobierno〖男〗ゴビエルノ。

0916 ☐	支配	control

◆「管理」という意味でも使う。

0917 ☐	革命	revolution

0918 ☐	宣言，布告	declaration

0919 ☐	独立	independence

0920 ☐	自由	freedom

男	**presidente**

プレシデンテ

男	**primer ministro**

プリメル ミニストロ

男/女	**ministro / ministra**

ミニストロ ／ ミニストラ

男/女	**diputado / diputada**

ディプタド ／ ディプタダ

女	**autoridad**

アウトリダ

男	**control**

コントロル

女	**revolución**

レボルスィオン

女	**declaración**

デクララスィオン

女	**independencia**

インデペンデンスィア

女	**libertad**

リベルタ

0921 ☐	理想	ideal

◆「理想的な」〖形〗という意味でも使う。

0922 ☐	現実	reality
0923 ☐	希望	hope
0924 ☐	絶望	despair
0925 ☐	可能性，機会	possibility
0926 ☐	努力	effort
0927 ☐	忍耐，我慢	patience
0928 ☐	勇気	bravery
0929 ☐	成功，成果	success
0930 ☐	失敗，不成功	failure

男 **ideal**

イデアル

女 **realidad**

レアリダ

女 **esperanza**

エスペランサ

女 **desesperación**

デセスペラスィオン

女 **posibilidad**

ポシビリダ

男 **esfuerzo**

エスフエルソ

女 **paciencia**

パスィエンスィア

女 **valentía**

バレンティア

男 **éxito**

エクスィト

男 **fracaso**

フラカソ

094

0931 ☐	幸福，幸運	fortune

0932 ☐	不幸，不運	misfortune

0933 ☐	安全	safety

0934 ☐	危険	danger

0935 ☐	災害，大惨事	disaster

0936 ☐	洪水	flood

0937 ☐	台風	typhoon

0938 ☐	地震	earthquake

◆「津波」は tsunami 【男】ツナミ（日本語からの借用語）。

0939 ☐	火事	fire

◆「火」という意味でも使う。

0940 ☐	消防車	fire engine

◆「消防士」は bombero／bombera 【男／女】ボンベロ／ボンベラ。

女	**fortuna**
	フォルトゥナ

男	**infortunio**
	インフォルトゥニオ

女	**seguridad**
	セグリダ

男	**peligro**
	ペリグロ

男	**desastre**
	デサストレ

女	**inundación**
	イヌンダスィオン

男	**tifón**
	ティフォン

男	**terremoto**
	テレモト

男	**fuego**
	フエゴ

男	**camión de bomberos**
	カミオン デ ボンベロス

0941 □	事件	incident

◆「場合」という意味でも使う。

0942 □	事故	accident

0943 □	テロ，テロリズム	terrorism

◆「テロリスト」は terrorista〚男女〛テロリスタ。

0944 □	爆発	explosion

0945 □	犯罪	crime

0946 □	犯罪人	criminal

◆「犯罪の」〚形〛という意味でも使う。

0947 □	泥棒〈人〉	thief

◆「窃盗」は robo〚男〛ロボ，「強盗」は asalto〚男〛アサルト。

0948 □	殺人	murder

0949 □	警察署	police station

0950 □	警察官	police officer

◆「警察」という意味でも使う（その場合〚女〛）。

男	**caso**
	カソ

男	**accidente**
	アクスィデンテ

男	**terrorismo**
	テロリスモ

女	**explosión**
	エクスプロシオン

男	**crimen**
	クリメン

男女	**criminal**
	クリミナル

男	**ladrón**
	ラドロン

男	**asesinato**
	アセシナト

女	**comisaría**
	コミサリア

男女	**policía**
	ポリスィア

0951 ☐	裁判所，法廷	court
0952 ☐	弁護士 〖男/女〗	lawyer
0953 ☐	検察官，検事 〖男/女〗	prosecutor
0954 ☐	有罪	guilt
0955 ☐	無罪	innocence
0956 ☐	戦争	war
0957 ☐	軍，軍隊	army
0958 ☐	兵士，軍人	soldier
0959 ☐	兵器，武器	weapon
0960 ☐	死者 〖男/女〗	the dead

男	**tribunal**
	トゥリブナル

男/女	**abogado / abogada**
	アボガド / アボガダ

男/女	**fiscal / fiscala**
	フィスカル / フィスカラ

女	**culpa**
	クルパ

女	**inocencia**
	イノセンスィア

女	**guerra**
	ゲラ

男	**ejército**
	エヘルスィト

男	**soldado**
	ソルダド

女	**arma**
	アルマ

男/女	**muerto / muerta**
	ムエルト / ムエルタ

097

0961	犠牲者	victim

0962	難民　〖男／女〗	refugee

◆「避難民」という意味でも使う。

0963	困難，難しさ	difficulty

0964	貧困，貧乏	poverty

0965	形，形式	form

0966	サイズ，大きさ	size

0967	円《図形》，丸	circle

◆「丸い」は redondo〖形〗レドンド。

0968	三角形	triangle

0969	正方形	square

◆「四角い」〖形〗という意味でも使う。

0970	長方形	rectangle

◆「直角の」〖形〗という意味でも使う。

女	víctima
	ビクティマ

男/女	refugiado ／ refugiada
	レフヒアド ／ レフヒアダ

女	dificultad
	ディフィクルタ

女	pobreza
	ポブレサ

女	forma
	フォルマ

男	tamaño
	タマニョ

男	círculo
	シルクロ

男	triángulo
	トゥリアングロ

男	cuadrado
	クアドラド

男	rectángulo
	レクタングロ

| 0971 ☐ | 計算 | calculation |

| 0972 ☐ | 数，番号 | number |

◆数字の表現は p.208 ～ 209 を参照。

| 0973 ☐ | 合計，総数 | total |

◆「全部の，全体の」［形］という意味でも使う。

| 0974 ☐ | 平均 | average |

| 0975 ☐ | 半分，2分の1，30分 | half |

| 0976 ☐ | 4分の1，15分 | quarter |

◆形容詞（数詞）として「第4の，4番目の」という意味でも使う。

| 0977 ☐ | 差，違い | difference |

| 0978 ☐ | 余り，残り | remainder |

| 0979 ☐ | 身長 | height |

◆「成長」は crecimiento ［男］クレスィミエント。

| 0980 ☐ | 体重，重さ | weight |

男 **cálculo**

カルクロ

男 **número**

ヌメロ

男 **total**

トタル

男 **promedio**

プロメディオ

女 **mitad**

ミタ

男 **cuarto**

クアルト

女 **diferencia**

ディフェレンスィア

男 **resto**

レスト

女 **estatura**

エスタトゥラ

男 **peso**

ペソ

0981 ☐	メートル	meter

◆「センチメートル」は centímetro〖男〗センチメトロ。

0982 ☐	グラム	gram

◆「キログラム」は kilogramo〖男〗キログラモ。

0983 ☐	リットル	liter

◆「ミリリットル」は mililitro〖男〗ミリリトロ。

0984 ☐	(背が) 高い	high

◆「(値段が) 高い」は caro〖形〗カロ。

0985 ☐	(背が) 低い	low

◆「安い」は barato〖形〗バラト。

0986 ☐	重い	heavy

0987 ☐	軽い	light

0988 ☐	大きい，多い	big, large

◆ 単数名詞の前で gran となる。

0989 ☐	小さい，少ない	small, little

0990 ☐	かわいい，愛しい	cute

男	**metro**
	メトロ

男	**gramo**
	グラモ

男	**litro**
	リトロ

形	**alto**
	アルト

形	**bajo**
	バホ

形	**pesado**
	ペサド

形	**ligero**
	リヘロ

形	**grande**
	グランデ

形	**pequeño**
	ペケニョ

形	**lindo**
	リンド

100

0991 ☐	長い	long
0992 ☐	短い	short
0993 ☐	（幅が）広い，ゆったりした	wide
0994 ☐	（幅が）狭い	narrow

◆「海峡」という意味でも使う。「（衣服などが）きつい」は apretado〖形〗アプレタド。

| 0995 ☐ | おいしい | delicious |

◆「よい」という意味でも使われる。男性単数名詞の前で buen となる。

| 0996 ☐ | まずい | not delicious, bad |

◆「悪い」という意味でも使われる。男性単数名詞の前で mal となる。

0997 ☐	甘い	sweet
0998 ☐	しょっぱい	salty
0999 ☐	すっぱい	sour
1000 ☐	苦い，つらい	bitter

形 **largo**
ラルゴ

形 **corto**
コルト

形 **ancho**
アンチョ

形 **estrecho**
エストレチョ

形 **bueno**
ブエノ

形 **malo**
マロ

形 **dulce**
ドゥルセ

形 **salado**
サラド

形 **ácido**
アスィド

形 **amargo**
アマルゴ

205

● 月と曜日，時の言い方 ●

101

1月	男	enero	エネロ
2月	男	febrero	フェブレロ
3月	男	marzo	マルソ
4月	男	abril	アブリル
5月	男	mayo	マヨ
6月	男	junio	フニオ
7月	男	julio	フリオ
8月	男	agosto	アゴスト
9月	男	septiembre	セプティエンブレ
10月	男	octubre	オクトゥブレ
11月	男	noviembre	ノビエンブレ
12月	男	diciembre	ディスィエンブレ

103

先月	el mes 男 pasado エル メス パサド
来月 来年	el próximo mes 男 エル プロクシモ メス el próximo año 男 エル プロクシモ アニョ
毎日 毎月 毎年	todos los días 男複 トドス ロス ディアス todos los meses 男複 トドス ロス メセス todos los años 男複 トドス ロス アニョス

月曜日	男	lunes	ルネス
火曜日	男	martes	マルテス
水曜日	男	miércoles	ミエルコレス
木曜日	男	jueves	フエベス
金曜日	男	viernes	ビエルネス
土曜日	男	sábado	サバド
日曜日	男	domingo	ドミンゴ

今週	esta semana ✽ エスタ セマナ
先週	la semana ✽ pasada ラ セマナ パサダ
来週	la próxima semana ✽ ラ プロクシマ セマナ
週末	fin de semana ✽ フィン デ セマナ
今月 今年	este mes 男 エステ メス este año 男 エステ アニョ
昨年	el año 男 pasado エル アニョ パサド
昨晩	anoche 副 アノチェ
毎朝	todas las mañanas 女複 トダス ラス マニャナス

105

●数字の言い方●

0	cero	セロ
1	uno	ウノ
2	dos	ドス
3	tres	トレス
4	cuatro	クアトロ
5	cinco	スィンコ
6	seis	セイス
7	siete	シエテ
8	ocho	オチョ
9	nueve	ヌエベ
10	diez	ディエス
11	once	オンセ
12	doce	ドセ
13	trece	トレセ
14	catorce	カトルセ
15	quince	キンセ
16	dieciséis	ディエスィセイス
17	diecisiete	ディエスィシエテ
18	dieciocho	ディエスィオチョ
19	diecinueve	ディエスィヌエベ
20	veinte	ベインテ
21	veintiuno	ベインティウノ

30	treinta	トレインタ
40	cuarenta	クアレンタ
50	cincuenta	スィンクエンタ
60	sesenta	セセンタ
70	setenta	セテンタ
80	ochenta	オチェンタ
90	noventa	ノベンタ
100	cien, ciento	スィエン，スィエント
200	doscientos /-tas	ドススィエントス／-タス
300	trescientos /-tas	トレススィエントス／-タス
400	cuatrocientos /-tas	クアトロスィエントス／-タス
500	quinientos /-tas	キニエントス／-タス
600	seiscientos /-tas	セイススィエントス／-タス
700	setecientos /-tas	セテスィエントス／-タス
800	ochocientos /-tas	オチョスィエントス／-タス
900	novecientos /-tas	ノベスィエントス／-タス
1000	mil	ミル
1万	diez mil	ディエス ミル
10万	cien mil	スィエン ミル
100万	un millón	ウン ミジョン
1000万	diez millones	ディエス ミジョネス
1億	cien millones	スィエン ミジョネス
10億	mil millones	ミル ミジョネス

● 名詞・形容詞・冠詞 ●

名詞 　男性名詞か女性名詞に分類されます。

◆ 多くは語尾 -o が男性名詞，-a が女性名詞になる。
　＊例外もあり（例：día「日」＝男性，mano「手」＝女性）。
◆ 人，動物などの性別がはっきりしたものについては，それ自体が名詞の性になる。（例：hombre「男性」＝男性名詞／mujer「女性」＝女性名詞）
◆ 職業など，男女同形の名詞もある。（例：presidente「大統領」）

形容詞 　修飾する名詞の性数によって語尾の形が変化します。
（例：unas mujeres altas「何人かの背が高い女性たち」）
＊本書では，男性単数形のみ記載しています。

冠詞 　定冠詞と不定冠詞があります。
名詞の性や数によって形が変化します。（例：una manzana「1つのりんご」）　＊例外もあり（例：agua「水」は女性名詞だが，単数形では男性形，複数形では女性形の冠詞が付く。単数：el/un agua　複数：las aguas）。

		単数形	複数形
不定冠詞	男性	un	unos
	女性	una	unas
定冠詞	男性	el	los
	女性	la	las

●索引●

215

【音声吹き込み】
Yolanda Fernández

© Goken Co.,Ltd., 2024, Printed in Japan

厳選スペイン語日常単語

2024 年 4 月 5 日　　初版第 1 刷発行

編　者　語研編集部
制　作　ツディブックス株式会社
発行者　田中　稔
発行所　株式会社 語研
　　　　〒 101-0064
　　　　東京都千代田区神田猿楽町 2-7-17
　　　　電　話 03-3291-3986
　　　　ファクス 03-3291-6749
組　版　ツディブックス株式会社
印刷・製本　倉敷印刷株式会社

ISBN978-4-87615-429-6 C0087
書名　ゲンセンスペインゴニチジョウタンゴ
編者　ゴケンヘンシュウブ
著作者および発行者の許可なく転載・複製することを禁じます。

定価：本体 1,800 円＋税（10%）［税込定価 1,980 円］
乱丁本，落丁本はお取り替えいたします。

株式会社語研
語研ホームページ https://www.goken-net.co.jp/

本書の感想は
スマホから↓